고수

차례

198화

일각의 극성에
다들 억지로 익히게 된
일종의 명상수련법
같은 건데…,

개안(開眼)의 경지에 이르면
결계를 꿰뚫어 보고
칠흑 같은 밤에도 사물을
분간할 수 있게 된다고 하지.

뭐…, 나는 겨우
단이라는 기물 정도나
파악할 수 있는
수준이다만….

…….

선도술이란 것에 대해
들어봤는지 모르겠구나….

굉장하네요.

선도술이라니….

…해서 하는 말인데,
천곡산에서부터 너는
그 '단'이란 것을 몸속에
품고 있더구나.

6

거기다 지금은
원래 네게 있던 것 말고도
옥천비의 그것까지
느껴지는 듯한데….

…궁금하군.
지금 내 앞에 있는 사람은
강룡인가?

아니면….

당연히 강룡이죠!
제가 저 아니면
누구겠어요!

하하…

음…,
그건 그렇지.

왠지
맥빠지는구먼.

7

존재하지
않는다?

하면,
옥천비는…?

그 사람은
없어요.

이제
존재하지 않아요.

……

네가 놈을
죽이기라도 했다는
뜻이냐?

그건…,

예.
아마…

아마?

단순히
죽고 죽이는
싸움이라기보다

'존재의 근원이
되는 것'으로부터
상대를 강제로 뜯어내
말살시키는….

만약 한순간 그자가
뒤쪽의 공격에 정신을
팔지 않았다면,

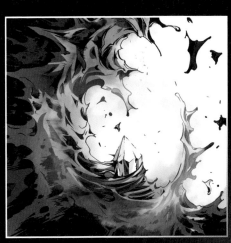

결과가 어떻게 됐을지는 모르죠.

음…, 아니, 그래도.

생각해보니 역시 결과는 달라지지 않았을 거예요!

…….

뭐…, 그건 그렇다 치고,

여기까진 대체 뭘 하러 온 거냐?

아….

찾고 있는 게
있어서요.

분명 여기
어디쯤이었을 텐데….

슈
아
앗
…

교룡갑!

일각 말로는
부상자들을 치료한 뒤
어디론가 사라졌다더니,
이 아이에게 와 있었나.

트트특…

11

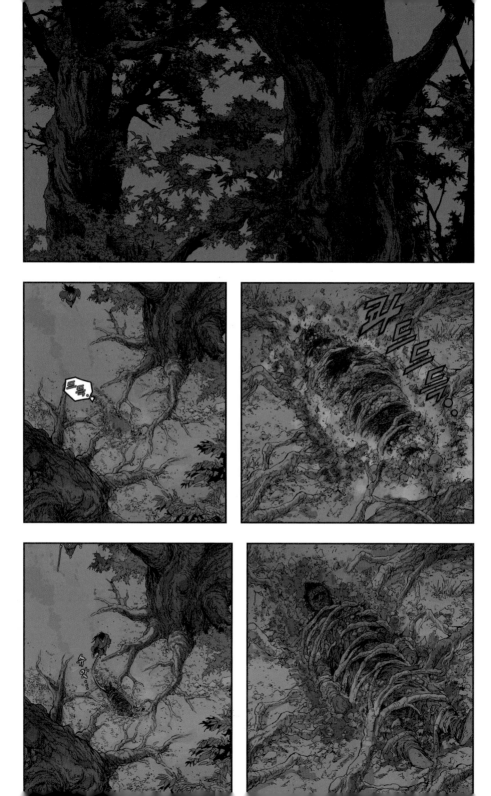

시신…
아니냐?

예….

네가
묻어 놓은 게냐?

아뇨.
지키고 있던 사람들 말로는
근처에 눕혀 놓았었는데
갑자기 사라졌다고….

음?

이 친구…, 양소의 제자
아닌가…?

혹시 흡성무공을
사용하지 않나,
이 친구?

가우복이라는
이름이었던 걸로
기억하는데….

예, 맞아요.
어떻게 아세요?

……!

사라진 시신.

흡성무공….

그리고
나무….

14

이것,
설마…

예?

윽?

스으…

15

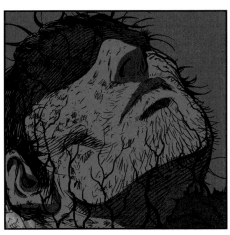

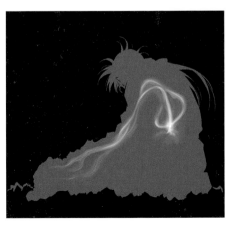

단의 영기가….

슈아앙.

……!

그래서…,

옥천비는
죽은 건가…?

18

죽은 건지…,
강룡 그 아이 말대로
소멸된 건지는 모르겠지만,
하여튼,

며칠 동안
이 잡듯이 뒤졌지만
흔적도 못 찾았어.

…….

애초에
그 옥천비는,

우리가 알던
옥천비가 맞나?

이제 와서
새삼 놈을 재평가할
생각은 없지만,

그 모습은 옥천비라기보다
마치 놈의 원념 일부만이
오랜 세월을 거쳐 형상화된
모습에 가깝지 않던가.

우리가 알았던
옥천비는 예전의 싸움으로
이미 죽었고,

그건
옥천비의 형태를 한
원념 덩어리는
아니었는지….

이봐, 이봐, 영감—!
닭살 돋게
갑자기 왜 이래?

19

오랜만에 사경을 헤매고 일어나더니 감성이 뿜뿜 폭발하시나? 징그러우니까 그만해!

놈이 어떻게 변했든 그게 우리와 무슨 상관인가.

그토록 긴 세월이 지났으니 변하지 않는 게 오히려 이상하지.

예전에 싸웠던 놈이 옥천비이듯이,

원념 덩어리건 악령이건 지금 죽은 놈도 틀림없는 옥천비야. 싸움은 이것으로 끝났어!

뭐…, 생각해보면 꼭두각시놀음 할 때의 그 모습이 우리가 알던 놈의 모습에 더 가까웠지만,

이제 와서 그런 게 무슨 의미가 있겠나.

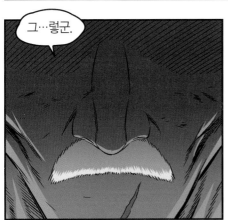

그…렁군.

하면…
그 단이란 건
어찌 됐나?

그것도
사라진 건가?

단이라…

아마도 가장 이상적으로 소멸시킬 수 있는 자의 손에 들어간 셈이긴 한데….

……

그거 설마 네놈 손에 있다는 뜻은 아니겠지?

어딘가 팔아먹을 생각으로….

뭔 ㄱ소리야!

……!

저 사람 뭐야?
왜 살아 있어?

그니까요.
애초에 안 죽었는데
언니가 설레발쳤던 거
아니었어요, 혹시?

뭐가 어째?

……

??

뚠뚠이가
이쪽을 노려보는데
틸까요, 언니?

……!

어, 어,
뚠뚠이가
지금….

뭐? 왜?
뚠뚠이가
어쨌는데?

뭐야?
누구한테
인사하는 건데?

바닥에 뭘
떨어뜨렸나 봐요.

……

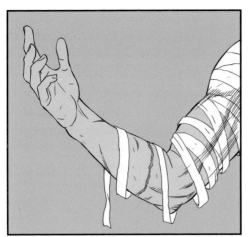

......

1년 뒤—.

흔한 무인도처럼 보이지만
실상은 그렇지 않아요.

섬에는 백여 명의 무인들이
상주해 있는데 저마다 각 분야의
내로라하는 고수들로 낯선 이들이
섬으로 접근하는 것을
철저하게 감시, 차단하고 있죠.

은거지는 섬 내부에 굴을 파서 지었다고 해요.
은거지에 이르는 통로도 미로처럼
복잡하게 돼 있고, 통로마다 침입에 대비한
기관 장치들이 설치돼 있어요.

보급품은 열흘에 한 번씩
배로 운반되는데,
늘 오던 사람이 아니면
접근조차 시키지 않아요.

…그러니까,
그자들이 그곳에서
지키고 있는 사람이…

도 공자님의
숙부예요!

규정상 입수 경로까지
알려줄 순 없지만
틀림없는 정보니까
믿으세요.

여기서 그리
멀진 않은 곳이에요.
고개 하나만 넘어가면
바로 보일 거예요.

알겠습니다.

다른 도움은
필요 없는가요?

가령, 퇴로를 차단해줄
병력 지원이라든가.

혹시라도
직접 마무리하기가
부담스럽거나 하면…

아니,
됐소!

싸가지
하고는….

……

……

……

……

그래서
어떻게 됐는데?

눈앞에서 내 손에
두 놈의 머리통이
뽀개지는 걸 봤는데
어떻게 됐겠나!

불빛에 드러난
바퀴벌레 새끼들 마냥
순식간에
흩어져버리더만!

푸하하하‥

그렇게 끝났으니 다행이지만 자칫 그 많은 비적들이 전부 죽자고 덤벼들기라도 했으면 어쩔 뻔했나.

앞으론 자네도 그놈의 성질머리 좀 누그러뜨리게, 제발ㅡ!

어?

ㅋㅋㅋㅋ

통

통

아, 천성인 걸 어떡해! 난 한번 발동 걸리면 끝을 봐야 한다고!

뭐야, 저건?

어아, 애송이!

얌마ㅡ!

너 말이야, 흰머리!

…라고 버럭 했더니,

그 흰머리 자식, 아주 그냥 바지에 X까지 지리며 달달달 떠는 거 있지? 크하하하―!

응?

뭔 소리야, 뜬금없이?

요금은 일행 분께서 내신다고 하셨습니다. 그냥 가시면 됩니다.

뭐? 너 지금 뭐라고 씨불였냐?

응? 내가 뭘?

위장방···

······!

콰당탕···

······!

안녕히 갑셔ㅡ!

내가 쫄긴 뭘 쫄아, 새캬! 아갈머리를 확 찢어버릴라!

아, 내가 언제 그랬냐고!

야, 야, 또 시작이냐!

그래도 숙부님이니 기껏해야 재산 몰수하고 방주의 권한으로 파문하는 정도일 거라 생각했는데,

둘 사이에 무슨 일이 있었는지는 모르지만 눈빛을 보면 왠지 사고 칠 것 같은 느낌이···.

우리 젊은 방주님, 완전 날이 서 있는데요?

항상 짜증 날 정도로
헬렐레하는 모습만 보여서
무골호인인 줄 알았더니,

저런 모습을
보일 줄도 아는군.

나름
귀엽다니까.

훗...! ♥

참, 그리고
'두 분'은 어떻게 됐지?

어제 이후 추가로
들어온 정보가 있는지
빨리 연락해봐!

아니, 됐소!

……

제…, 제가 선을 좀 넘은 것 같죠?

괜찮아. 귀여웠어. ♥

깨물어 뜯어버리고 싶을 정도로.

......

아마도
이 애비 탓이리라.

내 존재가 녀석을
그렇게 몰아붙였기
때문일 것이야.

네 숙부가
그런 선택을 한 것은,

내가
의도하지 않았다 해서
책임도 없다 할 수는
없으니…,

다만 그러한 선택을
할 수밖에 없었던 네 숙부의
입장도 조금은 이해해보라는
부탁을 하고 싶구나…

용서하라는 뜻이
아니다.

쾅

41

여기예요, 여기—!
아까 있던 곳에
있어요—!

젊은이는
어어 가봐요.

뭔가 엄청난
소리가 났는데
뭔 일 있는 건 아니지?!

예…,
그럼 전…
가보겠습니다.

응, 응,
그래요.

왜 대답이 없소?
여보, 연화—!
벌써 죽은 건 아니지?!

죽긴 누가 죽어,
이 영감탱이야!

……

어디 어디!

자,
만져봐요.

뭐야, 왜 이렇게 쭈글쭈글해?
우리 연화 어디 가고
웬 할망구가….

죽을래?

탁

사람을 죽일 뻔하고도
그냥 가다니, 이거 아주
싹수가 노란 놈일세.

너 잠깐
나 좀 보자.

……

아, 그게
아니라니까!

저 젊은이는 내가 있는 줄도 몰랐다고 했잖아요.

미안해요, 젊은이. 빨리 가봐요.

그러니까 내가 설명했잖아요….

이런 썩을 놈을 봤나!
가란다고 진짜 가?
이거 완전….

삐빽…

너 어디서 뭐 하는 놈이냐?
얼마나 잘난 놈이길래
행동거지가 그 따위냐고!

아, 거참.
오늘따라
왜 이래요,
진짜!

어르신….

세가 저지른 잘못은
잘 알고 있습니다.

아무리 사과를 드려도
부족하겠지만 지금 상황에서
제가 할 수 있는 만큼은
진심으로 용서를 구했구요.

혹여 후유증 같은 것이
걱정되신다면 지금이라도
의원께 모셔다드리도록
하겠습니다.

무례를 무릅쓰고 말씀드리건데,
만약 금전적인 보상을 허락해주신다면
원하시는 만큼 드릴 수도 있습니다.

그런 것이 아니라면
저를 그만 보내주십시오!
저는 지금 해야 할 일이
있습니다.

봐요.
말하는 것만 봐도
얼마나 반듯한 청년인지.
호호…!

고맙지만
그런 것 전부
필요치 않으니까
그냥 가도록 해요.

흐음….

46

말은 번지르르하다만 어째 내 귀엔 곱게만은 들리지 않는구먼.

아마도 내 온몸의 털까지 곤두서게 만들고 있는 네놈의 그 지독한 살기 때문일 터.

'해야 할 일'이란 것도 필시 사람을 해치는 것과 관련된 일이렸다?

이대로 보냈다가 얼마나 많은 사람들이 피를 흘리게 될지 모르는데, 내 어찌 너를 그냥 보내줄 수 있겠느냐?

......

하면,

어떻게 하겠다는 말씀입니까?

살기를 주체하지 못하는 놈 하나를 막아 여러 사람을 구할 수 있다면 마땅히 그리 해야겠지!

알겠습니다. 그럼…,

어르신께서 저를 막을 수 없다는 걸 깨닫게 해드리면 보내주시겠습니까?

그러지.

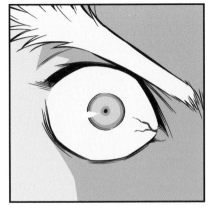

오오,
정신이 드는
모양이구먀!

꼬박 하루를 안 깨어나길래
이대로 못 깨어나는 건 아닐까
얼마나 걱정을 했는지….

다행이오.
정말 다행이야.

예?

어르신….

우매한 놈이
고인(高人)을 몰라뵙고
무례를 범했습니다.

부디
용서해주시기를….

…….

족히 사나흘은
못 깨어날 줄 알았더니
몸뚱어리 하난 튼튼한
놈이구만….

실은…,
어제의 그 승부에 대해
도무지 아무것도 기억이
나질 않습니다.

하여, 다시 한번
무례를 무릅쓰고
가르침을 청하고
싶습니다만….

그놈…,
말은 번지르르하다만…,

결국 이런 늙다리에게
졌다는 사실을 받아들이기
싫다는 말이렸다?

그렇습니다!

걸걸걸걸‥

탁 탁

✳

적어도
솔직하긴 하군.

좋아!
맘에 들었다.

한 번 더
응해주기로 하지!

……

눈이…?

음?
내가 맹인이라는 걸
몰랐나?

고인(瞽人)이라 길래
아는 줄 알았더니….

!

하나, 네가 이미 겪어봤듯 승부에는 별다른 영향을 주지 않을 것인즉…, 신경 쓸 것 없다.

자, 오너라!

…

이, 이런….

나이를 짐작할 수 없을 만큼 연로한 데다가 앞을 못 보는 맹인이라니….

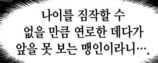

어제도 한순간의 방심이 승패를 갈랐을 터.

이런 노인을 상대로 내가 지금 뭘 하고 있는 건가…!

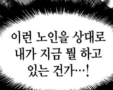

……

아니야.

사정이 어떠하건 지금 내 앞에 있는 사람은 단지 쓰러뜨려야 할 상대일 뿐이다!

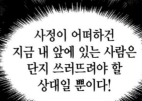

그럼….

......

또?!

어, 어르신ㅡ!

어르신,
어디 계십니까?

……!

뿌득..

아!

찾았다!

59

어르….

멈칫‥

기다려주십쇼, 어르신—!

어르시—인♡

⋯⋯

어리석은 놈이
고결하신 분을 몰라뵈옵고
무례를 저질렀사옵니다.

말투가 좀 더
느끼해진 거 말고는
어제 들었던 말
그대론 거 같은데…?

구사하는 어휘의 폭이
빈약한 친구구만….

마지막으로 한 번만 더
가르침을 내려주시기를
간청드리오니, 부디….

일없네!
두 번의 가르침으로도
깨닫지 못했다면
더 해봤자 시간 낭비야!

…

저렇게나
간절하게 원하는데
한 번 더 들어주세요.
마지막이라잖아요.

이번에도 패한다면
자네가 하려던 '일'을
그만둘 수 있겠는가?

……

싫음 말고!

……
알겠습니다.

무인으로서 스스로의
무공에 확신조차
갖지 못하는 상태라면
앞으로 무슨 큰일을
할 수 있겠는가.

철컥..

복잡한 생각이나
고민 따위 일단
내려놓는다.

처.
윽.

부
웅..

붕..

자,
그림…,

갑니다!

졌네!

자네가 이겼으니 자네의 일은 자네 맘대로 해.

그럼 잘 가게.

저…, 저기…, 잠깐만요….

졌다고 인정한다는데 왜 이리 끈적거려.

인증서라도 써줘?

아뇨, 그런 게 아니라….

어느 정도 경지에 이른 무인들끼리는 누가 더 강한지 따져봤자 아무 의미 없네.

우리 정도 되면 자네나 나나 거기서 거기란 말이지.

바꾸어 말하면 아주 작은 요소 하나로 인해 승패가 갈릴 수도 있다는 뜻이고….

65

앞서 두 번의 패배는 자네가 나를 깔보고 덤볐기에 벌어진 결과일세.

게다가 첫째 날의 자네의 그 살기, 그리고 두 번째 날은 투기가 자네의 시야를 가려버리기까지 했으니….

어떻게 당했는지 기억도 안 나지?

한데 오늘은 살기는커녕 내게 본때를 보여주겠다는 그 오만한 투기조차 없더구만.

앞도 안 보이는 내가 미세한 기척만으로 자네 정도의 무인을 상대하다니, 해봤자 필패 아니겠나.

할멈이 날 도와준다면 달라질 수도 있겠지만 그건 논외로 하고….

어쨌든…. 그래서 내가 졌다는 걸세. 이제 이해가 됐지?

기, 기다려 주십시오!

소인은 풍진방이라는 문파의 소방주를 맡고 있는 도겸이라 하옵니다.

고고하신 은둔 귀인을 미처 몰라뵙고 결례를 저지른 점 용서하소서.

주어만 대충 바뀌고 또 아까랑 똑같은 말이구만.

어휘력이 참 가난한 친굴세….

당신도 아까 구 영감님, 용 영감님이 하던 말 똑같이 써먹더만 뭘 그래요?

부디…,

제자로 거두어 이 아둔한 놈을 깨우쳐주십시오.

어, 뭐?! 갑자기 왜 얘기가 그쪽으로 가는데?!

지금까지 내가 한말을 대체 뭘로 들은 게야! 내가 졌다니까, 자네한테!

세상에 어떤 미친놈이 지한테 진 놈을 사부로 모셔?

돌겠네 진짜. 앞도 안 보이는데 달리기로 도망칠 수도 없고….

허락해주실 때까지 두 분의 곁에서 떠나지 않겠사옵니다.

67

대인,
혁 총관입니다!

무, 무슨 일이야!
겸이 놈이 나타났나?

그럴 리가요.
저희가 철통처럼 지키고 있는데
놈이 어찌 감히
이곳을 넘보겠습니까.

식사 때가 되어
요리를 가져왔습니다.

아, 그, 그런가.

안에 들여놓고
물러가라.

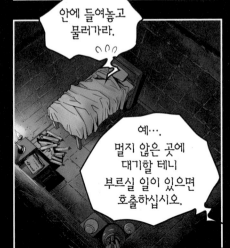

덜컹..

예….
멀지 않은 곳에
대기할 테니
부르실 일이 있으면
호출하십시오.

달그럭...

헉?!

......

쯥 쯥..

쩝 쩝...

우걱..

그렇게…,

하루가 다르게 초췌해져가고 있다는 보고입니다.

……

또 다른 첩보에 의하면 천곡산 무리들과 결탁했던 일부 문파들이 자신들의 결백을 증명하겠답시고 총력으로 저자의 행방을 찾고 있다 합니다.

이대로 가다간 우리 젊은 방주님이 도착할 때까지 섬에 위장 잠입해 있는 요원들에게 '숙부'를 안전하게 확보해두라고 해야 할 판입니다.

상황이 이런데 젊은 방주님은 어디서 뭘 하고 있는 걸까요?

어째서 아직도 안 움직이고 있는지…

내가 알 게 뭐야.

도대체 무슨 생각을 하고 있는 건지…

그보다 흑월 할아버지와 연화 할머니는…,

자네가 내게서 배울 만한 건 없어.

무공 수위로만 따지면 자네나 나나 거기서 거기야.

다시 한번 말하지만….

예.

나한테 뭘 배우니 그 시간에 자네의 무공이나 좀 더 숙련되도록 갈고 닦는 게 훨씬 나을 거란 얘길세.

예에….

……

그럼 이제…, 이쯤에서 각자 갈 길로 가도록 하세! 됐지?

첫날 느꼈던 그 지독한 살기도 사라졌으니 앞으로의 일은 이성적으로 잘 대처하리라 믿네.

…….

그렇군요.
이성적이라….

지금 뭐 하고 있는 건가, 자네?

지금 뭐 하고 있…!

아!

그게…, 한 번 듣고 흘려버리기엔 너무 주옥같은 말씀들이라 기록으로 남겨두는 중입니다.

헤헤헤!

뭐이?!

주옥같은 소리 하고 있네! 도대체 자네 지금까지 내가 한 말이 무슨 뜻인지 알아듣긴 한 건가!

예?

한 줄로 요약하자면 '짜증 나니까 빨랑 꺼져버려'라는 말씀이 아닐지….

아, 예…. 잠시만요! 음…, 그러니까….

이봐, 이봐─!

탕 탕

팔락 팔락

……:

의외로 맥락은 제대로 파악하고 있네.

77

그런데 이 '가자 갈 길'이라는 문장에 담긴 숨은 뜻을 파악하기가 조금….

숨은 뜻은 얼어 죽을!

그건 문자 그대로 각자….

주문하신 요리 나왔습니다.

……

와아

자네 말이야…,

설마 이런 걸로 나를 회유할 수 있을 거라 생각하는 건 아니겠지? 어?

쩝 쩝 쩝…

……. 회유할… 수….

아, 적지 마! 쫌—!

냠…

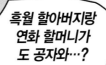

흑월 할아버지랑
연화 할머니가
도 공자와…?

예….
보고서 내용은
그렇습니다.

낌새를 느끼게 되면
또 잠적하실 것 같아서
최대한 두 분이 눈치 채지
못할 거리를 유지하느라
자세히는 알 수 없지만,

아무래도 젊은 방주님이
두 분께 무공을 배우고
있는 것 같다고….

……

나한테도 잘 안 가르쳐주시던 분들이,

그 촐랑이 도련님한테 무공을 가르치고 있다고?!

보고서에는 그렇게 적혀 있습니다.

하지만 이런 시점에 왜 굳이 타 문파의 무공을 배우려는 건지 도무지 이해가 안 되는데요?

자신보다 강한 상대를 만났을 때 꺾고 싶다거나 넘어서고 싶다는 사람이 있는 것처럼,

저렇게 상대에게 배우려는 사람도 있는 법이니….

성격이 좋은 건지, 줏대가 없는 건지….

이해하고 말고 할 게 어딨어! 도 공자의 타고난 성격이 그런 거지.

한참 성장해야 할 무인이라면 그럴 수도 있겠지만 도 공자는 이미 저 나이에 방주직에 오를 만큼 거의 완성돼 있는 무인이고, 자신의 가문과 무공에 대한 자부심 또한 대단한 사람 아닙니까.

한데, 연로하신 데다 앞을 못 보시는 분께 생소한 문파의 무공을 배운다는 게….

…….

그 연로하고 앞 못 보는 분이 바로 대마교전을 거치고도 살아 돌아온 신선림 은자들 중 한 분이지….

사신(死神) 흑월.

사흑련 할아버지들 말씀으로는 마교도들이 가장 두려워한 무인 중 한 분이었다는데, 어느 정도였는지 상상도 안 가.

그런 거 보면,

도 공자도 나름 사람 보는 안목은 있는 편이랄까…

그렇…습니까?

스승으로 모시기에 적합한 분은 흑월 할아버지보다는 오히려 걸어다니는 무림 비급이라는 연화 할머니 쪽이겠지만,

도 공자도 곧 알게 될 테니 그건 그렇다 치고. 어쨌든…,

고향 나들이 가신 후 복귀가 늦어져 걱정이라고, 두 분의 근황을 파악해 달라는 신선림의 의뢰는 일단 해결됐군.

두 분만이라면 언제 또 사라질지 모르지만 저 둔감한 도련님이 같이 있으니 동향 파악하긴 수월하겠어.

…….

그동안 그렇게나 찾고 싶어 하던 숙부의 행방을 찾아줬더니, 마치 그따위는 안중에도 없다는 듯한 젊은 방주님의 저 해괴한 행태가 도대체 뭐냐는 겁니다!

그 부분은 그렇긴 한데, 제가 이해할 수 없는 건 뭐랄까…,

탕..

아, 글쎄! 내가 알 게 뭐냐고!!

이제 와서 갑자기 마음이 바뀌었거나,

집중력이 닭이나 물고기 수준인가 보지.

…….

쿠웅…

......

화양출토…라는
초식이 이렇게나
위력적인
초식이었나…?

어떤가?
같은 초식이라도
할멈의 해석이 덧붙여지니
뭔가 새로운 느낌이지?

호호!

그러니 어설프게
새로운 무공을 배우는 것보다
이미 익힌 무공에 대한
이해의 폭을 넓히는 것이
더 도움이 될 걸세.

그래도 한 번 짚어줬을 뿐인데
따라오는 걸 보면
재능이 뛰어난 젊은이 같아요.

^^

85

??

용서하십시오!

뭐지? 난 방금
불럭 처리 당한 것 같은
기분인데…?

도겸이 감히
하늘이 내리신 귀인을
알아보지 못했습니다!

부디 어리석은 놈을
깨우쳐주십시오!

또 똑같은
말이구만.

지겹지도 않나?

호호…!

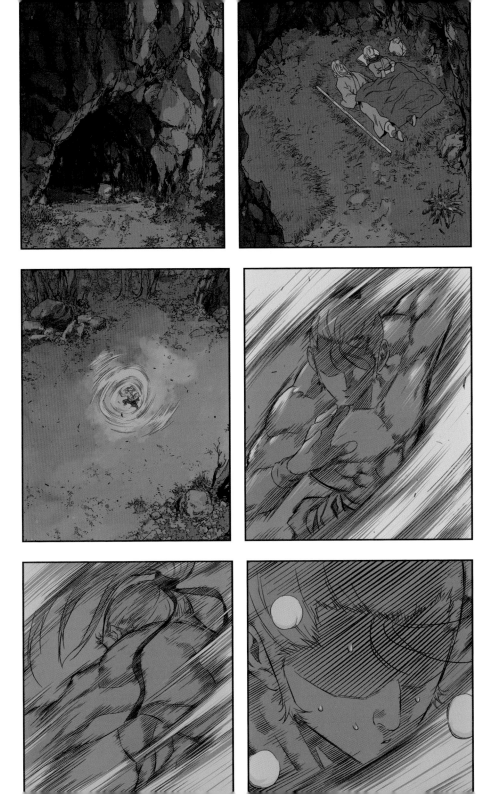

거칠군….

아!

나오셨습니까.

잠깐 잠이 깨서
나와본 것뿐이야.

방해할
생각은 없으니
계속하게.

그런가….

한데, 낮의 움직임과는 다르게 너무 거칠고 힘이 많이 들어가 있어. 연습이라기보다 흡사 화풀이를 하는 느낌이던데…?

아닙니다. 저도 그만하려던 참이었습니다.

…!

이렇게 가까이 다가올 때까지 기척을 못느끼다니….

소리만 들으시고도 그런 것까지 알 수 있습니까?

숨소리, 지면에 닿는 발소리, 봉이 일으키는 바람 소리…. 청각만으로 많은 것을 알 수 있지만 눈이 안 보인다고 해서 청각만을 활용하는 건 아닐세.

자네의 땀 냄새라든가 봉이 일으킨 바람이 살갗에 와 닿는 느낌 등…, 시각을 대신할 수 있는 감각은 여러 가지가 있지.

......

그…렇군요.

연습에 집중하지 못하는 걸 보면 뭔가 고민거리가 있는 듯한데….

자네가 '하려던 일'과 관계있는 건가?

맞는 것 같군. 숨소리가 일순 멈춘 걸 보니….

혹 자네가 감당할 수 없을 만큼 상대가 너무 강하다거나 하는 그런 문젠가?

......

아…, 그건 아닙니다…. 흐흐….

단지 '그 일'을 실행하는 것이 옳은지 아닌지 도무지 판단을 내리기가 어려워서….

판단을 내리기 어렵다….

한데, 얼마나 중요한지는 모르겠지만 당장 판단을 해야 할 정도로 시급한 상황은 아닌 것 같구먼.

그런 문제를 내버려두고 며칠씩이나 우리만 졸졸 따라다니고 있으니….

90

콧바람 소리가
미세하게 달라진 걸로 봐서
꽤 감명 받은 것 같던데.

드디어 내일이면
저 찰거머리를 떼어버릴 수
있겠구만. ㅎ….

제 말이 맞죠?
뭔가 고민거리가
있는 것 같죠?

음….

그동안 정이 들어서 그런가?
난 뭐 같이 다녀도
상관없을 것 같은데….

그런데
당신, 또 용 할아범이
율무기 위로할 때 했던 말
써먹은 건 아니죠?

......

어허ㅡ!
나를 뭘로 보고!

그대로 써먹진
않았어.

사부님의 애정 어린 고언으로 이 제자, 어젯밤 비로소 눈을 뜬 것 같사옵니다.

앞으로 더 한층 두터워진 존경심으로 두 분을 모시겠사오니 부담 없이 즐겨주시기를…!

알아듣게 잘 설득한 거 맞아요?

……

이 영감이 맞나?

나를 죽이라는 청부를 의뢰한 자.

…맞소.

젖비린내 나는 애송이 하나 처리하는 데 이 정도의 거금이라…

무슨 사연이 있는지는 모르지만 잘못 찾아왔소, 영감.

내 듣기에 하북의 '부용사호'라는 분들은 대가만 지불하면 염라대왕의 수급이라도 가져다준다기에 찾아왔소이다만….

금액이 부족하다면 착수금으로 두 배를 더 내겠소.

내 칼은 이런 어린애들 피나 묻히기 위해 갈고닦은 게 아냐.

이봐, 영감! 내 말뜻을 못 알아듣는 모양인데…,

거기에… 일이 끝나면 열 배 더 얹어드리지!

!

빌…어먹을…!

이… 정도의…
고수… 라니….

그… 늙은이가
우릴 가지고…
놀았…

……

휴우….

추운 건 맘에 안 들지만
누군가를 추적하기엔
좋은 계절이라니까.

이번엔
'신기단'이었더군.

개개인이
일당백이라는 살귀들이라
쉽진 않았을 텐데,
과연 '홍안의 검귀'!

……..

여기저기
오래된 피 얼룩이
남아 있군….

츱….

아마 '신기단'놈들이
이 일대에 둥지를 튼 이후
희생당한 집들 중
한 곳일 테지.

'신기단'이 자네 손에
괴멸당했으니 이제 더 이상
그럴 일은 없겠지만,

이미 희생된 이들 입장에서
그런 게 무슨 의미가 있을까.

그렇지 않나?

......

203화

당신…,

진짜 정체가 뭐야?

수차례 경고했음에도 왜 계속 내 주변을 얼씽거리는 거시?

백마곡 첩보 조장 양정학!

곡주님의 지시를 받고 자넬 돕고 있는 중!

…이라는 정도로는 납득할 수 없다는 뜻이구만.

그동안 노인네 행선지도 알려주고 음식도 공수해주고…, 실컷 도와줬더니 너무하네.

크으~! 자네도 한잔 하겠나?

참, 자넨 술 안 먹는댔지….

오늘도 나 혼자 먹지 뭐….

……. …….

에잇, 젠장!
술맛 안 나네.

거, 알아봤자
좋을 것도 없는데
그냥 소력사라 생각하고
대충 넘어가면 안 돼?

지금까지
내가 딱히 피해를
끼친 것도
없잖아!

내게 있어서
'정체를 알 수 없는 인간'은
곧 '잠재적인 적'!

그런 자가
주변을 어슬렁거리는 게
유쾌한 일은 아니지.

…그리고 그건
백마곡주 입장에서도
마찬가지일 터.

호오…?

자기 자신 말고는
아무것도 관심 없던 주제에
곡주님을 걱정하다니,
별일이구만.

뭐, 좋아!
백마곡 간부의 한 사람으로서
곡주님에 대한 자네의 충정이
갸륵해서 특별히 알려주지.

나는 사실
무림인이기 이전에
황실… 대장군부에
소속돼 있는 신분이다!

형식적이긴 하지만
나름 관직도 있고….

뭐야, 이거….
선대 곡주님 외엔
아무도 모르는 일급비밀을
공개했는데 반응이
왜 이리 미적지근해?

뭐 다른 걸
기대했나?

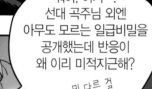

환술은 필요에 따라
사용하는 수단의 하나일 뿐,
주 업무는 황실 서고 관리, 그리고
각종 대소사에 관한 길흉을 점친다거나
전국을 떠돌며 고대 유물이나
고문서들을 발굴, 수집, 관리….

하여튼
타 기관들로부터
인정도 못 받는
은밀한 기관이긴 해도
꽤 여러 가지 일들을
하고 있지.

황실에서
환술사 따위를 쓴다고?

따위?

원래 내명부 소속이었다가
무슨 역모에 관련된 사건으로
대장군부 관할로 바뀌었다는데.

그건 뭐,
내가 태어나기도 전의 일이라
자세한 건 모르겠고….

아무튼…,

전국의 주술 관련
조직들을 파악하고
그들의 동향을 관리,
통제하는 것도 우리의
주요 업무 중 하난데…,

오래전 상관 한 분이
병환으로 은퇴하면서
내게 업무를 인계하는 바람에
지금까지 그 임무를
수행하고 있는 중일세.

대장군부의 연줄을 이용해
무림계에 들어오면서 얻게 된
세탁용 신분이지만,

이 생활이 오래되다 보니까
내가 임무 수행 중인 조정의 관리인지
백마곡의 정보 조장인지
이젠 정체성에 혼란을 겪을 정도야.

그 임무도 거의
끝나가는 중이지만….

……. 그래서…
나를 따라다니는 것과
당신의 그 임무가
무슨 관계가 있는가?

…….

한 젊은 천재 주술사가
금지된 주술을 사용해
죽은 짐승을 되살린
사건이 있었네.

금지된 주술에
손을 댄 것만으로도
일대 사건이었지만 죽은 생명을
되살리기까지 했으니
결코 좌시할 수 없는 일이지.

아주 작은 짐승이고
되살아난 지 하루 만에
다시 죽었다곤 하지만,
그대로 두었다간 장차 천하를
혼란에 빠뜨릴지도 모를 일이기에
기관 전체가 발칵 뒤집혔어.

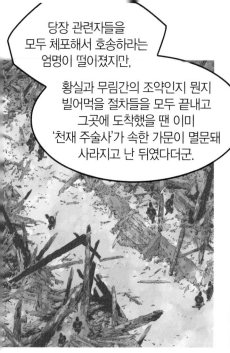

당장 관련자들을 모두 체포해서 호송하라는 엄명이 떨어졌지만,

황실과 무림간의 조약인지 뭔지 빌어먹을 절차들을 모두 끝내고 그곳에 도착했을 땐 이미 '천재 주술사'가 속한 가문이 멸문돼 사라지고 난 뒤였다더군.

생존자는 없는 것으로 보고되고 사건은 종결!

…됐으면 좋았겠지만 성삭 '천재 주술사'의 행방이 묘연한 상황이었지.

시신도 발견되지 않았고.

극비리에 파견된 요원이 오랫동안 놈의 행방을 추적했는데,

겨우 놈과 함께 동행했던 '황 집사'란 인물을 찾아내 행적을 조사하던 중… 앞서 말했던 것처럼 병환으로 나와 임무 교대를 하게 된 거라네.

그… 천재 주술사가….

제령왕 환사야!

124

그리고
'황 집사'는…,

지금 자네가 쫓고 있는
그 영감일세.

환사는
죽었을 텐데…?

죽었지!
내가 몇 번을 확인했으니
그건 틀림없어.

하나, '황 집사'가
살아 있는 한 사건은
마무리되지 않아.

그는 환사의
핵심 조력자였던 만큼
반드시 대가를
치러야만 해!

그럼 당장 잡아가면 될 텐데 왜 내 주변만 얼쩡거리고 있는 거지?

나한테 양보라도 해주고 있다는 뜻인가?

공식적으로는 이미 종결된 사건이다. 이제 와서 '살아 있는 용의자'를 호송해 갈 순 없는 일이야.

보고서에 그는 이미 사망한 것으로 돼 있으니 보고서의 내용과 일치시키는 것이 가장 깔끔하게 마무리되는 셈이지.

그리고 누구보다 '자네의 사정'을 잘 알고 있는 사람으로서,

순서를 양보해주고 있는 건 맞아.

…….

선심이라도 쓰는 듯 말하지만,

환사와 마찬가지로 직접 상대하기 버거워서 내 손을 빌려 처리하려는 것 아닌가?

이거 내가 단단히
찍힌 모양이구만.

환사가 버거운
상대였던 건 사실이야.
그런 천재 주술사를
처리해야 하다니,
내 능력 밖의 일이지.

놈이 강룡의 손에
죽었다는 말을 들었을 땐
정말 놀랐어.

아마 송예린의 힘이
어느 정도 역할을 했을 테지만
그렇다 해도 무공만 수련한 자가
놈의 환술을 깨뜨리다니
아직 믿기지 않을 정도라니까.

그렇지만 '황 집사'는
경우가 달라.
환술이든 무공이든
그는 내 상대가 못 돼.

선광천검을 깨뜨린 일로
그 영감이 마치 초고수라도
되는 줄 알고 있겠지만,

그건 이미 환술에 걸려 있던
자네에게 자신을 피해
초식을 펼치도록 유도한 것일 뿐,
무공으로 격파한 것이 아닐세.

하면, 그 대단한 환술로
다시 한번 제압하면 될 텐데
왜 줄곧 자네를
피하기만 하느냐?

그건 바로
이 양정학이 있기
때문이지!

내가 자네
주변에 있는 이상,
그 영감은 자네에게
환술을 걸 수 없어.
환술을 거는 순간
내가 모조리
깨뜨려버릴 거란 걸
알고 있을 테니….

128

혹시라도 자네에 대한 연민 때문에 그 영감이 자넬 배려하고 있는 줄 알고 있다면 착각일세.

그는 그런 인물이 아니야.

지금까지 자네가 거쳐 온 곳들….

자넬 습격했던 자들도 마찬가지.

관의 손이 닿지 않는 외진 마을을 털어먹는 극악한 놈들도 있었지만, 오로지 자네를 죽이기 위해 고용된 살수들이 더 많았어.

어린 시절 신세를 졌던 마을도 있겠지만 일부에 불과할 뿐,

대체로 자네와 아무런 연이 없는 곳들일세.

이게 그 영감의
수법이다.

진실과 거짓을 석낭히 뒤섞어
상대로 하여금 제대로
판단할 수 없게 만드는 방식….

아주 교묘해.

땍‥

환술을 걸지 않고도
상대를 흔들고 혼란에 빠뜨리는데
대부분 인식조차 못하고
당해버리거든.

대단한 노인네라니까.

그 정도는
알고 있어.

알고 있어?

그런가….
흐음….

옆에서 보기엔 왠지 그 영감이 의도한 대로 끌려가고 있는 것처럼 보여서 말이야….

그렇다면… 지금까지 몇 번이나 영감의 거처를 덮칠 기회가 있었음에도 왜 그러지 않았는지 설명해줄 수 있겠나?

내가 왜 그래야 하지?

설명을 듣지 않으면 내 입장에선 자네가 영감에게 말려들었다고 결론을 내릴 거거든.

의도했건 아니건 자네 때문에 영감의 처리가 늦어졌으니 결국 자네도 죄인을 도와준 공범으로 판단하는 거지.

…그럼 내 손으로 자넬 처리할 수밖에 없게 돼!

해보시지.

이 자식….

하여간 꽉 막힌 놈하고 대화하는 건 피곤하다니까.

뭐, 아직은 여지가 조금 남아 있으니 판단을 미뤄두도록 하지.

오늘 내가 한 말을 잘 기억해두는 게 좋을 거다.

쿵

만나보셨습니까?

음….

납득할 만한 해명은 들으셨습니까?

들었지.

말로 들은 건 아니지만….

그러니 아직은 조금 더 기다려보자고….

……

204화

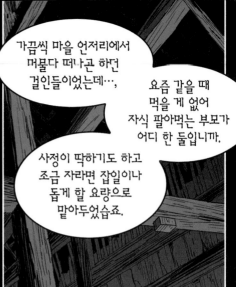

가끔씩 마을 언저리에서 머물다 떠나곤 하던 걸인들이었는데…,

요즘 같을 때 먹을 게 없어 자식 팔아먹는 부모가 어디 한 둘입니까.

사정이 딱하기도 하고 조금 자라면 잡일이나 돕게 할 요량으로 맡아두었습죠.

아이의 친부모가 팔아넘겼다는 겐가?

한데, 왜 저런 곳에 가두어놓았는가?

말씀 마십쇼. 첫날부터 지 부모 찾아간다고 어찌나 발광을 하던지.

한 며칠 지나면 나아질 줄 알았는데 어린놈 패악질이 갈수록 심해져서 감당이 안 될 지경입니다요.

부모가 자기 버린 걸 아는지 모르는지….

엄마…

140

눈빛이 마음에 드는군.
좋아, 이 아이는
내가 데려가도록 하지!

아까 말한 금액이면
되겠나?

아이고~.
그래주신다면야
그저 감사할 따름입죠.

......

핏덩어리 짐승을 거두어
날개를 달아주었거늘…

어째서 제힘으로
날아오르지 못하고
둥지 주변만
맴돌고 있는 게냐.

안타까운지고….

벌써 보름째
같은 곳에 계속
머물고 있습니다.

아마도 폐병이
심해져서인 듯 보이지만
워낙 교활한 작자이기에
그저 그런 척하고
있는 건지도 모르지요.

검귀는…?

마찬가지입니다.
전혀 지금 있는 곳을
떠날 생각이
없어 보입니다.

우려한 대로 혹시 놈이 그자를 비호하고 있는 것은 아닐지요.

만약 그렇다면 더 늦기 전에 우리가 먼저 손을 쓰는 것이···.

조금만 더 기다려보세.

······.

내가 잘못 읽었나?

그 무감정한
표정 뒤로,

건드리면 당장이라도
폭발할 것 같은
거대한 분노와 증오를
느꼈던 것 같은데…?

그거 혹시 나를 향한
감정이었던 건 아니겠지…?

설마 내가 그렇게까지
비호감일 리가….

……

왔으면
들어오너라….

죽일 땐 죽이더라도
차 한 잔 나눌 시간 정도는
내줄 수 있지 않은가?

보리 한 말 가격도
못 되는 금액이었다.

딸깍.

네 부모라는 작자들이
시골 촌부에게 너를
팔아넘기고 받은 대가.

내가 지워버린 탓에
기억은 나지 않겠지만…,

네 부모는 걸인들이었다.
당시 대기근의 재앙으로
그해를 넘기지 못하고
죽었다 들었어.

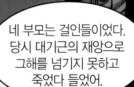

네가 알고 싶은 것이
그 부분이라면…,
그게 내가 아는 전부다.

이삼 년 뒤 그 마을에 다시 들렀을 때, 네게 매질을 했던 농부가 나는 알아보았지만 너를 알아보지는 못하더구나.

몰락한 무가의 귀공자라는 내 말을 전혀 의심치 않았지….

너에게 있어 출생에 관한 진실은 그지 짐일 뿐이야.

새로운 신분을 부여한 것은 너를 위해서 필요한 조치였느니….

'가문의 복수'도 할 필요가 없어진 지금의 너는 결국…,

그 무엇에도 구속되지 않는 완전한 자유를 손에 넣지 않았느냐.

…그럼에도,

오로지 나에 대한 증오와 집착으로 스스로를 속박하고 있는 꼴이라니….

150

너는 내가 만든
최고의 작품이다.

앞으로 나아가지
못하는 이유가
진정 나로 인한 것이라면
이 늙고 병든 목숨,
기꺼이 너에게 주마.

자,
가져가거라!

부디… 너를
옥죄고 있는 모든 것들을
나와 함께 흘려보낼 수
있게 되기를….

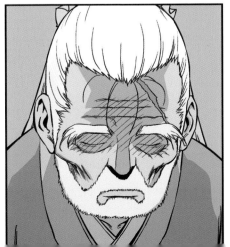

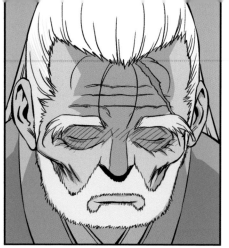

흐음….

양정학…,
그 파환술사 놈이
느껴지지 않는군?

설마
너 혼자 나를
찾아 온 것이냐?

윽…?

크!

까

라

라

!

······

흥흥,
이거야…

어차피 네가 나를
죽일 수 있을 거라고는
생각지 않았다.

너의 그 분노라는 것은
결국 낯선 이에게 부모의 애정을
빼앗겼을 때 느끼는 철부지
아이의 감정과도 같은 것.

아이의 바람은 부모의 애정이
자신에게 다시 돌아오는 것일 뿐,
그들의 죽음이 아니지.

파환술사들과의 공조야말로
이 황자명을 잡기 위한
신의 한 수였거늘…

너의 독선과 만용이
내게 살길을
열어주는구나….

안타깝지만
너의 영혼을 파괴한 뒤
꼭두각시로 삼아
저 끈질긴 놈들을 처리할
비수로 써야겠다!

걸인의 자식으로 태어났으나
나를 만나 한껏 귀공자로서의
삶에 취해보았으니
너 또한 여한은 없을 터.

나를 너무
원망하지 말거라.

티딕..

텅그렁..

음?!

투두둑..

우읍!

크흑···

?!

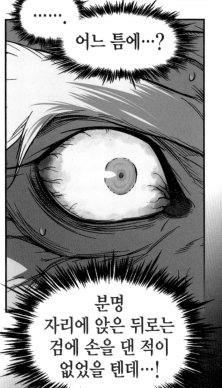

······.

어느 틈에···?

분명
자리에 앉은 뒤로는
검에 손을 댄 적이
없었을 텐데···!

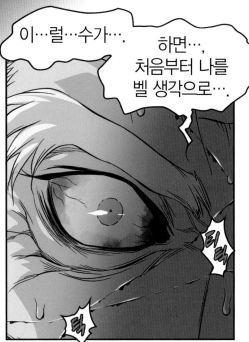

이…럴…수가….

하면…, 처음부터 나를 벨 생각으로….

205화

이…럴 수가….

하면…, 처음부터 나를… 벨 생각으로….

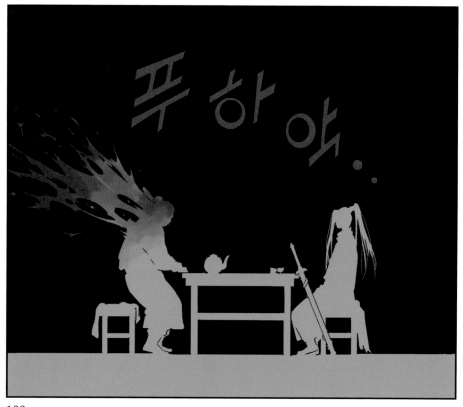

163

…….

좀 더 쫓기는 초조함에
괴로워하길 바랐는데
겨우 여기서 포기하려 했다는 게
실망스러울 뿐이야.

그래도 마지막까지
옛정에 호소하거나
추한 모습을 보이지 않은 건
그나마 당신다웠어.

지금까지
시간을 끈 이유가,

벨 생각이
없어서라고
생각했나.

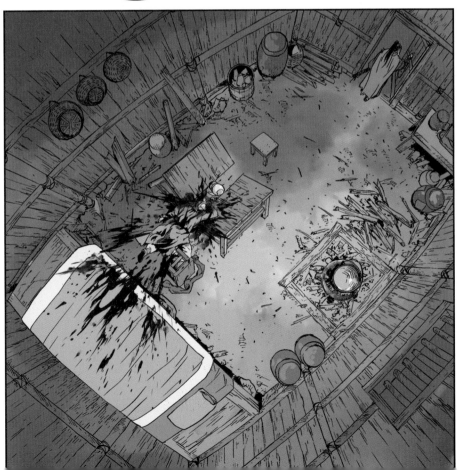

어, 왔나?

…….

꽤 뜸을 들였군.

지금까지 답답할 정도로 시간을 끌더니 이제 와서 갑자기 실행한 이유가 뭔지 물어봐도 되겠나?

켘헉

그냥 단순 변덕이야!

누군가 주운 강아지를 사냥개로 키운 다음 실컷 써먹고 나서 어느 날 문득 버리고 싶은 마음이 들었던 것처럼….

……!

당신한테는
신세를 졌어.

어? 뭐?

내가 취했나?
방금 평생 듣기 힘든 말을
들은 것 같은데…?

어쨌든 당신 존재 때문에
쫓기는 동안 그가 심리적 압박을
더 심하게 받았을 테니까.

그 부분은
고맙게 생각하고 있어.

고마움을 느끼는 건
그 부분뿐인 거냐….

어디로
갈 생각인가?

글쎄···.

응? 백마곡으로
돌아가는 것 아닌가?

······.

이번에 진 신세는
언젠가 기회가 되면
갚도록 하지.

나하고 같이
황궁 구경 한 번
가볼 생각 없나?

어디로 간다거나
언제 돌아온다거나
그런 말도 일절 없이…?

예….

적어도 당분간은
그럴 생각이
없어 보였습니다.

흠….
뭐, 돌아올 마음이 생기면
돌아오겠지.

어쨌든
수고 많았어요.

별말씀을….

곡주님의 배려로
개인적인 일까지
잘 마무리하게 됐으니
오히려 제가
감사드립니다.

대장군부에서
파견된 수사관이라는 것을
처음부터 알았으면
쓸데없는 갈등은
없었을 텐데….

양 조장도 그렇지만
끝까지 알려주지 않은
어머니도 너무하셨어.

여전히 어린애
취급이라니까….

그 점에 대해서는 지금도 죄송하게 생각하고 있습니다.

다만 저희들의 일이란 것이 워낙 비밀을 요하기도 하고… 또 어머니께선 곡주님이 조정의 무리들과 엮이는 걸 원치 않으셨을 것입니다.

……

그럼…,

이제 원래 자리로 돌아가는 건가요?

예….

황규 부조장이 섭섭해하겠군.

일단 상황에 맞춰 잘 설득해보겠습니다. 곡주님께서도 '장기 출장' 정도로 처리해주시길 부탁드립니다.

하하…. ○○○

참, 그리고⋯,

개인적인 용무 때문입니다만⋯,

강룡은 여전히 삼거리 객점에서 지내고 있겠죠?

왜 내가 강룡이 어디 사는지까지 알고 있어야 하죠?

예?

어머니와 사부님이
부녀처럼….

정말 그랬으면
좋았겠다….

뭐…, 네 오래된
기억 속에서 봤던 거라
뚜렷하진 않았지만,

내가 봤을 땐
그렇게 느껴졌어.

이제
갈 거야?

아,
응….

자주 좀 와라.
전엔 그렇게나 혼자 있고 싶더만
막상 여기서 혼자 지내려니
따분하기도 하고
아직 적응이 잘 안 되네….

바깥세상은
뭐 좀 요란하고
재밌는 일 같은 거
안 터졌나?

언제는 지긋지긋하다고
바깥세상은 쳐다보고 싶지도
않다더니…….

……

그럼 다음에
또 올게요.

쿡쿡쿡…!
내게서 벗어날 수
있을 줄 알았더냐…?

으윽…,
크….

환사는 내 손에 죽었다.
…너, 누구야?

……

아구구….

그래도
크게 다친 덴 없으니까
너무 미안해할 건 없네.

응? 아…,
나야, 나!

이야, 이거…,
장난 한번 치려다가
죽는 줄 알았네.

환사의 졸개인
모양이군…!

응?

……

에이, 왜 그래?
나 몰라? 나 양정학이잖아.
곡주님하고 같이 만났었는데
기억 안 나?

알면서 지금
일부러 그러는 거지?
응? 맞지?

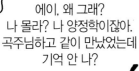

와, 이 친구,
아주 유쾌한 성격으로
바뀌었네, 어?

핫핫핫…!

우아악!

206화

와~!

황궁의
대장군부라니…!

대단하시네요!

……

진심으로 놀라는
표정이 아닌데?

내 말을
안 믿는구만.
그렇지?

하하…

그게…,
갑자기 나타나서
너무 뜬금없는
말씀을 하시니까.

뭐, 하긴….
그럴 수도 있겠군.

허면, 어떻게 해야
내 말을 믿겠나?

흠…

중요하지.

왜냐하면
무림을 떠나는 기념으로
내가 자네한테 중요한
얘기들을 해줄 참이거든.

헌데 자네가
내 정체를 믿지 않는다면
그런 말들이
무슨 의미가 있겠나.

어…,
그러니까…,

제가
믿고 안 믿고가
중요한 건가요?

그냥… 안 들어도
별로 상관없을 것
같은데….

뭣이?

자네가 모르는 자네 사부님에 관한 얘기라면 어떤가?

모친이 돌아가시기 전에 사부님과 자네 모친이 어떻게 지냈는지…,

알고 싶지 않은가?

그런 얘기… 함부로 지어내시면 안 돼요.

지어내는 얘기라면
그렇지.

환사?

……

가장 궁금한 것이 환사와
송예린에 관한 부분이라니
의외인걸.

모르십니까?

아니,
그런 건 아니고….

흠음…,
뭐, 생각해보면 그런 의문이
들 수도 있겠군….

결론부터 말하자면 두 사람은 아무런 관계도 아닐세!

혈육이라니, 당치도 않은 상상이야.

그럼…습니까?

그렇네!

언젠가 환사가 송예린을 보기 위해 객점에 들른 적도 있었으니,

자네 입장에서는 그런 의문이 들 수도 있겠지만….

그런 것도 알고 있었나요?

내가 모르는 일은 거의 없다고 하지 않았나.

송예린의 모친과 환사가 전혀 모르는 사이는 아니더라도,

자네가 생각하는 그런 관계는 아니야.

그는 단지 송예린의 모친 '성심천녀'가 가진 힘을 탐했던 것뿐일세.

'용안의 소유자'가 환술사들에게 갖는 의미는 검사에게 '명검'이 갖는 의미와 비슷하거든.

우리가 조사한 바로는 환사가 성심천녀에게 암암리에 여러 차례 도움을 요청했고,

놈의 끈덕진 요구에 마지못해 딱 한 번 힘을 빌려준 적이 있었는데…,

그건 '금단의 주술'과 관련된 일이었네.

아마 성심천녀의 갑작스런 죽음이 그 일과 관계있는 것으로 추측하고 있지만 그 부분은 확실치 않아….

놈이 삼거리 객점을 찾아갔던 것도 송예린에게 이어진 '용안'을 확인하기 위함이었을 테지.

시간이 좀 더 있었다면 수단과 방법을 가리지 않고 송예린을 조력자로 삼으려 했거나…,

그럴 수 없다면 제거하려 들었을 걸세.

그렇군요….

……

흐음….

다 알고 있으면서 물어봤군. 그렇지?

아하하…, 죄송해요.

죄송?

내 정보력이 어느 정도 되는지 시험해봤다 이거 아냐?

이야~, 이 친구 이거 그렇게 안 봤는데 천곡산 이후로 사람 많이 변했네?

인성이 아주 탁해졌어….

흐흐흐….

그래도
정말 놀랍네요.

점주님이
예린이한테 해준 얘기랑
거의 일치해요.

실제론 그 자리에
있지도 않았을 텐데
어떻게 그렇게 정확하게
알 수 있는 거죠?

천하의 모든 일을 관장하는
황실 소속 정보부서의 요원들을
과소평가하지 말게.

대륙의 구석구석
모든 곳에 그들의 눈과 귀가
존재하지 않는 곳은
없다고 생각하면 돼.

그렇다 해도 사부님과 어머니의 일까지 알고 있었다는 건 역시… 좀 믿기 어려운데요?

제가 무공을 어느 정도 익히고 나서부터는 인구 마을까지 가끔 심부름을 다녀오긴 했지만,

사부님은 한 번도 밖으로 나가신 적이 없다고 들었거든요.

거기 다른 사람들이 찾아올 수 있는 곳도 아니고.

그렇다 해서 외부인과 전혀 접촉이 없었던 건 아니지.

잘 생각해보게. 자네가 밖을 다니기 전부터 있던 물품들이 전부 그곳에서 자급할 수 있는 것들뿐이던가?

글…쎄요.

그런 것까진 잘 생각이 안 나는데….

정부 소속 부처 가운데 비공식적인 임무를 수행하는 조직들이 많이 있네.

우리도 그런 조직들 중 하나지만…

그중 전국의 지질을 조사하고 지하자원의 매장량 등을 측정하는 업무를 담당하는 조직이 있는데,

사람 발길이 닿지 않는 까마득한 절벽이라든가 빛이 전혀 들어오지 않는 땅속 깊은 곳까지… 그들의 활동 영역은 실로 상상을 초월할 정도야.

오래전… 그들 가운데 한 명이 임무수행 중 실족으로 사망처리 됐다가,

석 달 뒤 살아서 복귀한 일이 있었네.

그가 작성한 보고서엔 '다리를 저는 괴노인의 도움을 받았다'라고 돼 있었지.

당시 해당 요원을 면담한 상관 한 명이 까마득한 계곡 아래에 혼자 살고 있는 '범상치 않은 기품의 괴노인'에 대해 관심을 갖게 됐던 모양이야..

자넨 이해 못하겠지만 우리들 같은 조직에서 누군가에게 '관심을 가진다'는 건 그렇게 좋은 의미가 아닐세.

상대는 곧 감시의 대상이 되고 그의 정체에 대한 조사와 함께 동향에 대한 주기적인 보고가 이루어지지.

그건… 역시 납득하기 힘든데요?

거긴 잠입하기 쉬운 장소도 아닐 뿐더러 감시하는 사람이 있었다면 사부님이 몰랐을 리가 없어요.

'사람'이라면 그랬겠지.

예?

송예린이나 환사 같은 이들을
겪어보고도 모르겠나?
요원들 가운데 그런 능력을
가진 사람들이 있네.

동물이나
벌레 같은 것들과
교감하는 능력…
요즘은 보기 드물지만
구무림의 은자들이나
마교도들 중에서도
그런 힘을 가진 이들은
존재했어.

그날 이후…,

계곡 아래에
혼자 기거하고 있는
괴노인과

그를 찾아온
만삭의 여인….

그들에 대한 정보들이
보고되고 기록되기 시작했지.

……

사실을 말하자면
내가 그 보고서의 존재를
알게 된 건 최근의 일일세.

나로서도 많이
아쉬운 대목이지.

보고서의 존재를 알고 나서도 열람하기까지의 과정은 순탄치 않았네.

대장군부의 협조가 있었기에 망정이지. 나 정도의 직급으로 관할이 다른 부서의 기밀문서를 본다는 건 사실상 불가능한 일이거든.

어떤가. 아직도 내가 없는 얘길 지어내는 것처럼 생각되나?

어…, 아뇨, 그게….

어떻게 받아들여야 할지 저도 잘 모르겠네요.

후…, 어쩔 수 없지. 강요할 순 없는 일이니.

그래도 처음보다는 낫군.

......
이번에 자네에게
큰 신세를 졌네.

아무튼 빚을 갚는다거나
그런 개념이 아니라, 자네가 알아야 할
이야기들인 것 같아서 무림을
떠나기 전에 꼭 전해주고 싶었네.

믿건
듣고 흘려버리건
그 판단은 자네가
알아서 하시게!

...

예?
제가 뭘 했나요?

기억이 안 나는데…

모르면 됐어.
신경 쓰지 말아….

참, 자네…, 스승께서
중원으로 오기 전의 일에 대해서는
어느 정도까지 알고 있는가?

가끔… 듣긴 했는데
정신이 많이 없으실 때
하셨던 말들이기도 하고
이야기들이 일관성이 없어서
그걸 알고 있다고 해야 할지….

200

흠….

그럼 그 즈음부터 시작하는 게 낫겠군.

자네의 스승…
파천신군 독고룡은
남만과 인접한
국경지역 출신이네.

그런 곳은 지역 특성상
이민족들의 잦은 침입으로
늘 약탈과 방화, 폭력에 노출된 채
살아갈 수밖에 없네.

조정에서도 그 방대한 지역을
소규모 병력으로 관리해야 하니
대대적인 군사적 도발이 아닌 이상
일일이 대응하기 어려운 입장이고.

지역민들은 살기 위해 싸워야 했기에
자연스럽게 지역 토호를 중심으로
무력집단이 만들어지게 되는데…,

그러다 보면
간혹 그들 가운데
특출난 재능을 가진 이도
출현하는 법.

민병대를 이끌었던 독고 세가의
젊은 가주가 그런 인물이었는데
그가 바로 자네의 스승
파천 독고룡일세.

당시엔 아직 신군이란
칭호를 쓰지 않았지.

약관의 나이에 일대를 완전히 평정하고
국경 너머까지 그 위명을 떨쳤다 하니
어느 정도였는지 대충 짐작해볼 수 있지.

202

그…렇군요….
사부님이….

타닥..   툭

일대를 평정한 뒤
젊은 독고룡의 관심은
중원으로 향했네.

무학의 본산인
중원 무림의 호걸들과 교류하고
자신의 한계를 시험해보고 싶은
욕망 때문이었지.

하나, 병든 부친과…
기세가 한풀 꺾이긴 했지만
언제 다시 도발해 올지 모를
남만인들의 존재로 인해
자신의 욕망을 속으로
누그러뜨려야만 했을 게야.

그 무렵 중원 출신의 거지 한 명이
독고룡을 찾아온 일이 있었네.

나 좀
봅시다—!

스스로 개방의 분타주 출신이라 밝힌
그는 독고룡의 위명을 듣고 왔다며
정중하게 한판 승부를 청했다더군.

우물 안 개구리에게
한 수 가르쳐드리지!

그때까지 적수다운 적수를
만나지 못한 젊은 독고룡에게
그런 도전은 반가운 일이었을 터….

뭐가 어째?

두 사람은
사흘 밤낮을 싸웠지만
승부를 내지 못했다 들었어.

204

그는 개방의 차기 장령으로 추대 받고 있는
'장운'이라는 호걸로 은형수마권이라는
무공을 수련하며 천하를 떠도는 중이었지.

두 사람은 서로를 인정하며
친구가 되었고, 이내 하루라도
얼굴을 안 보면 안 되는 사이로
발전해갔네.

촌탕이라 졌다는 말을
할 줄 모르나…?!

뭐,
이 쉬지 새X가…!

중원의 호걸들에 대한 이야기를 들려주고
함께 무공을 수련하고 이민족들과의
싸움에도 같이 참여하면서 그렇게…
5년이라는 세월이 흘러갔지.

장운은
은형수마권의 수련을 마치고
중원으로 돌아갔고,

주변 상황이 정리되면
반드시 중원으로
나를 찾아오게.
기다리고 있겠네.

알겠네,
자네도 부디
몸조심하게.

그렇게 헤어진
두 사람은…

이후 두 번 다시
만나지 못했네.

두 분 부모님이 모두 세상을 떠나고
10년의 세월이 흘렀지만
독고룡의 주변 상황은
별로 나아지지 않았어.

그의 영향력이 미치지 않는 곳은 여전히
이민족들의 침략이 산발적으로 계속됐고,
관부의 도움을 기다릴 수 없는 해당 지역민들은
모두 독고룡에게 지원을 요청했으나
그의 조직만으로 그 방대한 지역을
전부 해결할 수는 없는 노릇이었지.

국경 너머에선 새로운 지도자가 출현해
여러 이민족들을 통합하고
점차 세력을 키워가고 있으며,
조만간 국경을 넘어 대규모 도발을
해올 거라는 정보가 있어
긴장이 고조되어가고 있고….

게다가 중원 쪽에서 큰 싸움이 시작됐다는
소식이 들려 벗의 안위가 걱정됐지만
그런 상황에서 고향을 버려두고
떠날 순 없었을 터.

그런 와중에 조정에서 보낸 밀사가
독고룡을 찾아왔지.

당시 대장군부는
새로운 조직개편과 함께
그동안 미루어왔던
남만 정벌을 계획하고
현지 사정에 밝은 독고룡과
그의 민병대가 동참해주길 원했어.

남만인들과의 싸움은 어차피
독고룡이 중원으로 진출하기 전에
반드시 매듭지어야 할 일.

209

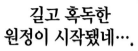

그렇게…,

길고 혹독한
원정이 시작됐네….

처음엔 사기가 오른 정벌군이
가는 곳마다 연전연승하며
싸움을 단기간에 끝낼 수
있을 것 같이 보였지만,

그들의 지역으로 깊이 들어갈수록
생소한 지형과 기후…,

그리고 수많은 벌레들과
각종 풍토병…,

태어나서 처음 보는 거대 짐승과
밤낮없이 덮쳐드는 야생 맹수들,

상상을 초월하는 무공 고수들과
그들의 기괴한 전투 방식,

거기다
포기할 줄 모르는 끈질긴 저항….

정벌군은 후방 보급조차
원활하지 못한 상태로
이 모든 것들과 힘겨운 싸움을
계속해야 했네.

결국 저들의 완전한 항복을
받아내긴 했지만 예상했던 것보다
훨씬 오랜 시간과 희생을 치른 뒤였지.

그들이 6년간의
긴 원정에서 돌아왔을 때,

주변의 상황은 물론 중원 쪽도
많은 것이 달라져 있었어.

벗의 안위가 걱정됐던 독고룡은
모든 일을 미뤄두고
중원으로 달려갔지만,

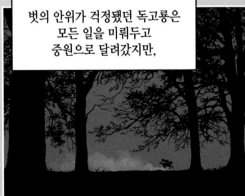

213

그를 기다린 건
오랜 친구의 사망 소식과…

폐허였네.

정·사 연합 무림맹과 마교의 싸움은
수많은 일화를 남겼지만
정작 그 싸움의 당사자들은
아무도 남아 있지 않았지.

대마교전 이후 새롭게 결성됐다는
신생 무림맹을 찾아가 보았으나…

…….

그 외에
다른 안건은
없습니까.

사청문에서 천웅방의 터를
요구해왔다고 하더이다.

허어…, 거긴
오광파가 먼저
신청한 곳일 텐데.

하나,
사청문이 제시한
금액이 너무
파격적이어서….

호오, 금액이
얼마나 되길래….

과연, 과연…,
그 정도의 조건이라면
거절하기 쉽지 않겠군요.
껄껄껄….

그럼 사청문 쪽에
천웅방의 터를
양보하는 걸로…,

허, 이거 오광파를
설득하기 쉽지 않을 텐데.

그보다 일전에 괴흥산을
원하던 곳은 어찌 됐소이까?
남해의 수겁파라 했던가?

그쪽은 아무래도
맘이 바뀐 모양이오.

독고룡

하긴, 그 흉포한
사흑련이 터를 닦은 곳이니…,
나라도 꺼려질 것 같긴 하오.

그리고 또….

썩는 냄새가
나는구나!

무림맹의 이름을 걸고 있길래
정·사 연합 무림맹을 재건하고
그들의 정신을 계승하려는
단체인 줄 알았더니,

범이 사라진 곳에서
썩은 고기를 놓고 다투고 있는
승냥이 떼들이 아닌가!

도대체 여기
무엇을 하는 곳인가!

216

무어야, 저자는…?

우리가 왜 옛 무림맹을 계승해야 하는가?

오늘 처음 보는 얼굴인데…?

네놈은 누구길래 그런 말을 함부로 하는가!

남만의 사정에 밝다기에 맹에서 특별 초청한 자라오.

아, 아, 진정들 하시고….

……

뭣?!

앞으로의 무림은 우리가 만드는 새로운 방식에 따라 다스려질 것이다.

그들의 방식은 파멸을 불러왔을 뿐이야. 그런 방식은 계승이 아니라 비난을 받아야 마땅한 법.

마교로부터 강호를 지키기 위해 싸운 사람들이오! 그런 분들을 비난하고 그분들의 희생을 매도하다니 제정신이오?!

그들의 희생이 있었기에 당신들이 무사할 수 있었음을 정녕 모르고 하는 말씀이오?!

여기 있는 사람들 중
누구도 그들에게 그런 희생을
요구하지 않았네.

우리였다면
그런 어리석고 무모한 방식이 아니라
유연하고 효과적인 전술을 구사해
최소한의 희생만으로 마교도들을
괴멸시켰을 것이야.

…….

지금 그 말…,

똑똑히 기억해두겠다!

저, 저런 무례한!

도대체 저런 작자를 누가 데려온 게야?

……

조금 위험해 보이는데…, 해치워버릴까요?

그럴 것 없네.

시골 촌부의 허세에까지 일일이 반응해서야 옛 무림맹 인간들과 무엇이 다를까.

그런 것 말고도 처리해야 할 일이 산더미일세. 자, 자, 회의나 계속하세….

……

자네와 자네 동료들의 그토록 큰 희생의 결과가,

고작 저런 쓰레기들을 위한 것이었다는…,

그 사실이
나를 더 견딜 수 없게
만드는구나….

고향으로 돌아간 독고룡은
한동안 슬픔에 젖어
두문불출하더니
곧 간단한 여장만 꾸린 뒤
어디론가 떠나갔네.

아무도 그가 어디로 갔는지 몰랐어.
국경을 넘어 남만 쪽으로 가는
모습을 봤다는 사람도 있었고
누군가는 깊은 산속으로
들어가더라고 말했지만…,

그가 떠나며 폐쇄해둔 독고세가는
당시 불한당 집단이 무단 점거하고
은거지로 사용하고 있었는데,

그의 천재적인 재능은 오랜 수련을 통해
남만의 기괴한 무공들과
독고세가의 무공을 접목시켜
독창적이고 가공할 파괴력을 가진
무공을 완성시켰는데,

아마도 그 첫 번째 실전을
치르기 전까지는 자신의 힘이
어느 정도인지 스스로도
잘 몰랐던 것 같아.

……

그것이 바로
자네가 전수받은
파천신공일세!

그가 돌아왔다는
소식이 알려지자
사람들이 모여들기
시작했네.

정작 본인은
아무런 의사를 표명하지
않았음에도 말이야.

대부분 남만원정 때
함께했던 사람들이었지만,
그 외에도 평소 독고룡의 행보에
감화됐던 이들이나 원정 당시
귀의해왔던 남만인들도 있었네.

그리고 새파란 청년이었을 때부터
남만원정에 힘께하며
독고룡을 최측근에서 보좌했던 이들.

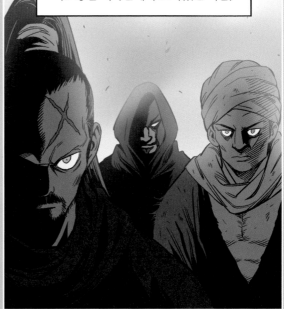

그리고
독고룡의 힘에 이끌려 찾아드는
특출난 인재들까지….

…그렇게 파천문이 세워지고
점차 주체할 수 없는 그 힘이
밖을 향해 팽창하기 시작했네.

약 10년 만에 장강 이남 전 지역을
파천문의 깃발 아래 두었는데,

파천문의 위세에 비해
오래 걸린 이유는 양자강 이남 지역이
드넓기 때문이기도 하지만,
독고룡이 직접 개입하지 않고
제자들에게만 맡겨두었기
때문이라는 설이 유력해.

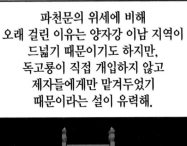

독고룡은 줄곧
중원 무림맹의 대답을
기다리고 있었던 것 같아.

중원을 비우고 물러나라는 그의 통보를
처음엔 변방의 신생 문파에서 하는
헛소리로 취급했던 무림맹도 파천문의
강남 평정 이후 단순한 협박이 아니었음을
깨닫고 급히 전령을 파견했지.

파천문에게 중원의
절반을 양보하겠다는…
무림맹으로서는 파격적인
제안을 전달했지만,

내가 원하는
대답이 아니다.

앞으로 한 달 더
기다려주겠다.

더 이상의 타협은
없을 것이야!

잘하셨습니다.
필시 시간을 벌기 위한
수작일 것입니다.

파격적인 제안으로
우리가 느슨해지길 기다렸다가
허를 찌르거나…,

그럴 결기라도 있는
자들이라면 좋겠군.

그게 아니더라도
저들은 끝까지 저항하려
들 것입니다.

그리고 한 달 뒤.

중원으로 간다.

그동안 저들로 인해
더럽혀진 땅을 정화하고,

죽은 벗의 넋을
달래리라!

그야말로
파죽지세….

파천신군이 직접 이끈 파천문은
채 3년이 되기 전에 전 무림의
7할에 이르는 지역을 정복했는데,

결국 배수진의 각오로 맞섰던
무림맹 소속 최정예
3개 연합 문파까지 괴멸 수준으로
대패한 뒤, 중원의 문파들이
선택할 수 있는 길은 세 가지였어.

이는 구무림과 당시 무림맹의 차이를
감안하더라도 충격적인 결과였네.

끝까지 저항해 파멸을 자초하거나,
파천문에 종속되거나,
모든 것을 버리고 도주하거나….

파천문의 거침없는 행보는
구무림의 무림맹 총단이 있던 곳에
이른 후에야 멈추었는데,

군소 문파들이 그 틈을 타
파천문에 충성 맹세를 하기 위해
앞다투어 찾아들었다 하니,
당시의 분위기가 어땠는지는
그것으로 대충 짐작할 수 있지 않겠나….

破天門

대외적으로 알려지기엔
그동안의 강행군에 지친 수하들을 위로하고
폐허로 변한 무림맹의 터를 재건하기 위함이며
그리 오래 머물진 않을 것이라 했지.

231

그리고 그 즈음….

그대가…,

구무림맹 생존자들에 대한
정보를 가지고 있다는 자인가?

그렇다!

나 독수마황 사패천과
싸워서 살아남을 수 있다면
놈들과 신선림에 대한 것을
전부 알려주지.

파천신군이 구무림의
누군가를 만났다고 하는데
정확히 누구였는지에 대해서는
기록되어 있지 않았네.

독수마황
사패천….

암…존…인가?

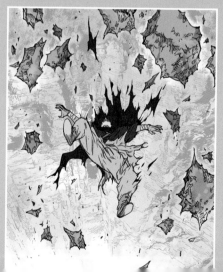

상대의 독공에 파천신군이 꽤 심각한
부상을 입었다고 기록되어 있는 걸로 봐서
그 만남이 그리 좋게 끝나지는
않았던 모양이야.

독…인가…?

!

아무튼….

의식을 잃고 쓰러져 있던
파천신군을 발견한 사람이…,

자네
부친일세.

…….

아버지가
사부님을….

인연이란 건
묘한 거야.

그렇지 않나?

후후..

당시 자네 부친 강윤은
해동검문이라는 신생 문파의
수장 자리를 사제에게 양보하고
재야에서 아내와 둘이 살고 있었네만,

급변하는 시국으로 인해
수장으로 있던 사제와 간부들이
강윤에게 다시 해동검문을 이끌어달라며
사흘이 멀다 하고 찾아오는 상황이었지.

……．

…양쪽으로 의견이
갈리고 있습니다.

으음…．

자네들 의견은
어떤가?

저희들은 모두
저항하자는 쪽입니다.

하지만
장로님들이….

사형께서 나서주시면
장로님들도 생각이
바뀔 것입니다.

장로님들은
자네들이 걱정돼서
그러시는 걸 거야.

저희도
모르는 건 아닙니다만
파천문의 저 폭거를
두고 볼 수만은 없습니다.

그렇습니다.

그럼
또 오겠습니다.

음…,
조심해서 가게.

으음….

…!

더 누워 계셔야 합니다.
아직은 무리예요.

귀공이…

나를
치료한 건가?

예···, 다른 곳은
그리 심하지 않았지만
우측 다리 쪽의 상처가···.

급한 대로
독을 빼내고 응급처치를
해두었습니다만 아무래도
의원께 가보시는 것이
좋을 듯싶습니다.

·······.
노부가···,

누군지
아는가···?

알아야 합니까?

…아니.

신세를 졌군….

그 뒤로도 파천신군은 가끔 강윤을 만나러 갔던 것 같아.

그럼 본당에서 뵙겠습니다.

알았네.

첫 만남 때부터 알았는지 나중에 알게 됐는지는 모르지만 파천신군의 정체를 알고도 강윤이 그를 대하는 태도는 바뀌지 않았네.

그렇게… 두 사람의 기묘한 만남은 계속 이어졌지.

어머! 언제부터 와 계셨어요?

!

그런데… 오늘도 빈손으로 오셨나 봐요?

여, 여보….

……

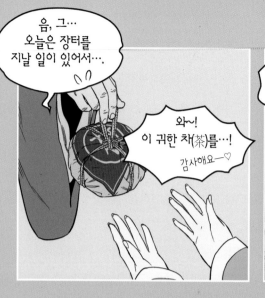

음, 그…
오늘은 장터를
지날 일이 있어서…

와~!
이 귀한 채(茶)를…!

감사해요—♡

보답으로 오늘은 특별히
좋아하시는 요리를
만들어드릴게요~♬

하하….

여길…
떠나는 건가?

예?

아…,
우연히 아까 왔던
사람들과의 대화를
듣게 됐네.

그렇게 됐습니다.

기간이 길어질 수도 있어
혼자 남는 아내가 걱정되지만
그 부분은 충분히 대화도 했고….
아마 잘 견뎌낼 겁니다.

돌아오지
못할 수도 있네.

그럼에도 부인을
혼자 남겨두고
가겠다는 겐가?

이미 결정한
일입니다.

해동검문은 무림맹의 운용방식에
반대해 연맹에서 제명당한
문파라고 알고 있네만….

그랬지요….

……

하면, 파천문과 지향하는 바가
궁극적으로 같을 수도 있을진대
어째서 굳이 대항하려는 건가?

……

그 질문은…
파천문주로서의
질문인가요?

245

노부의 입장에 따라
내답이 달라지는가?

지향점이 같을지는 모르지만
저희 입장에서는 파천문의
강압적인 방식도 받아들일 수
없기 때문입니다!

어설픈 양비론이야….

그런 무른 생각들이 저 타락한 작자들에게 권력을 쥐어주고,

결국 파천문을 중원으로 불러들이게 된 원인이라고 보지 않는가?

그럴 수도 있겠지요. 하나, 한 가지 가치만을 강요하는 파천문의 방식 또한 또 다른 폭력에 다름 아닙니다.

미워서 때리건 사랑해서 때리건 맞는 입장에서는 똑같이 아플 뿐입니다.

그렇게까지 생각한다면 차라리 처음 나를 발견했을 때 그냥 내버려두지 그랬나.

노부가 죽었더라면 자네가 이렇게 무모한 결정을 하지 않아도 됐을 것을….

저도 사실 상황이 이렇게까지 될 줄은 몰랐죠….

그때만 해도 해동검문으로 복귀할 생각은 전혀 없었거든요….

쿵클..

하하…

뭣이? 그럼 이렇게 될 줄 알았다면 노부를 그냥 죽게 내버려뒀을 거라는 겐가?

당연한 것 아닙니까? 적이 될 사람을 살려줄 정도로 제가 무골호인으로 보이십니까?

저만 빼놓고 두 분이서 무슨 얘길 그렇게 재밌게 하시는 거예요?

…….

사부님이 그동안
혼자 다니시던 곳이
해동검문의 강윤이란 작자의
집이었다는 건가?

뭣?

그래서 제가 무어라 했습니까.
사부님의 최근 행동이 무언가
이상하다 하지 않았습니까.

......

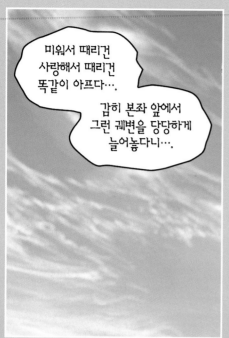

미워서 때리건
사랑해서 때리건
똑같이 아프다….

감히 본좌 앞에서
그런 궤변을 당당하게
늘어놓다니….

그렇기 때문에
이길 수 없다는 걸 알면서도
목숨을 걸어가며
막아서겠다고…?

허어, 고얀….

하나…,

그 설익은 패기가 왠지
그 시절의 우리를
생각나게 하는구먼….

허허….

또
해동검문인가?

어째서
그 나약한 놈들에게
매번 당하기만
하는 건가!

…….

해동검문만 신경 쓸 때가 아닙니다!
그동안 중립을 표명했던 풍진방이
본문과 함께하지 않겠다고
공표하고 나섰습니다!

풍진방이?

풍진방뿐만이
아닙니다.

무림맹과 사이가 좋지 않아
지금까지 지켜보고만 있던 방파들이
하나둘씩 본문에 대항할 뜻을 밝히며
일어서고 있는 중이라 합니다!

그놈들이
왜 갑자기….

아무래도
해동검문의 최근 행보가
기폭제가 된 게 아닐지….

…….

251

그리고…,

그 참변이
일어났네….

그들… 사천왕은
초조했을 것이네.

아마도…,

그동안 무림맹과 사이가 좋지 않아
파천문과 무림맹의 싸움에
관여하지 않았던 문파들 사이에서
서서히 반파천문의 기류가
형성돼가고 있었고,

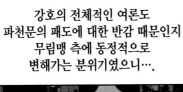

강호의 전체적인 여론도
파천문의 패도에 대한 반감 때문인지
무림맹 측에 동정적으로
변해가는 분위기였으니….

강윤과 해동검문의 존재가
지금의 흐름을 만든
원인입니다!

놈들을
그냥 두어선
안 됩니다!

그걸 누가
모르는가!

사부님께선 이번
해동검문과의 일에 대해
무어라 하셨습니까?

명분을 분명히 해야 할 것인즉,

명분 없는 무력 동원은 단순 폭력에 지나지 않느니,

그것은 저들 무림맹의 방식이 아니더냐.

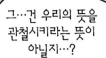

그…건 우리의 뜻을
관철시키라는 뜻이
아닐지…?

지금껏 방관하고 있다가
이제 와서 자신들의 입장을
주장하는 저들과 출범 이후
줄곧 패도만을 추구해온
본문…

그건
우리 입장에서의 관점이고,
전체 강호인들의 관점을
따져봐야지….

그들 중 대다수가
우리보다 저쪽의 주장에 더
공감하고 있지 않은가.

어떻게 생각해도
명분은 우리 쪽에 있다고
생각됩니다만.

약자에게 보내는
값싼 동정일 뿐입니다!

왜 우리가 그런 것까지
신경 써야 합니까?!

더 많은 이가 공감하는 쪽이
명분을 갖게 된다는 걸
모르고 하는 소리인가?

하면, 사형께선 어쩌자는 말씀입니까! 놈들의 요구를 다 받아줘야 한다는 겁니까?!

그렇게 단순하게 생각할 문제가 아니라지 않나!

자네 생각은 어떤가?

작은 균열 하나가 결국 거대한 둑을 무너뜨리는 법.

놈들의 요구를 들어주어선 안 됩니다.

이런 상황에서야말로 본문의 의지를 대외적으로 분명히 보여줘야 합니다.

258

하나, 분명 귀영의 말도 일리는 있어.

이 상황을 주시하고 있는 대부분이 놈들의 주장에 공감하는 분위기 아닌가.

놈들의 목적이 자신들을 희생시켜서라도 전체 무림인들의 궐기를 유도하려는 것이라면,

무력진압은 오히려 놈들을 도와주는 꼴이 될 수도 있어.

…더구나 강윤 그자!

도대체 언제부터 사부님과….

사적인 관계를 본문의 일에 연계시킬 사부님이 아닙니다.

사부님과 놈의 관계는 신경 쓰실 것 없습니다.

지금까지 우리가 걸어온 길을 되돌아 보십시오. 상황에 휘둘려 대응 방식을 바꾸는 것은 패도가 아닙니다.

사형께서 결심해주셔야 합니다!

자네 생각은 잘 알겠네.

참고해두지.

!

……

무슨 일을 하는 건가! 그런 일을 벌였다가 사부님의 진노를 사게 되면….

사부님은 그저 주저하고 계신 것뿐입니다! 사형은 정말 사부님이 강윤이라는 무인 하나 때문에 천하 패업을 포기할 것이라 생각하십니까?!

비난은 잠깐이지만 패업은 영원한 것입니다. 스승에게 주어질 오명을 대신 감수하는 것 또한 제자들이 해야 할 일. 지금이야말로 우리가 나서야 할 때입니다.

으음….

이런 일에 적합한 무리들을
이미 물색해두었습니다.
일이 틀어져도 비난은
그들 몫이 되겠지요.

사형만 결단해주시면
뒷일은 제가 알아서
처리하겠습니다.

그 초조함이…,

⋯⋯.

그들로 하여금
그런 극단적인 선택을 하도록
몰아세운 것일지도 모르지.

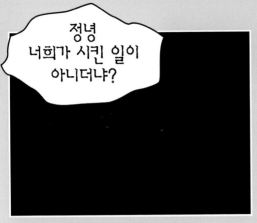

정녕
너희가 시킨 일이
아니더냐?

그, 그렇습니다.

저희가 보고를 받은 것은
이미 중단시키기엔
늦은 시점이었습니다.

중단시키기엔
늦은 시점이었다…?

그 말의 진위 여부는
차후 명백히
따져볼 것이다!

사,
사부님…,

기다려주십시오.

……

저들은 오로지 본문에 대한 충정에서 행동한 것이옵니다.

부디 저들에 대한 처벌을 재고해주시기를….

충정?

감히 본문의 이름을 팔아 더러운 흉계를 꾸미고 암습과 살육을 서시른 놈들을 용서해주라는 것이냐?

방법은 거칠었지만 저들은 결국 우리가 할 일을 대신한 것뿐입니다.

지금 저들을 벌하시면 앞으로 누구도 이런 일에 나서려 하지 않을 것입니다.

이…, 어리석은!

그 일 이후
파천신군과 제자들 사이에
균열이 가기 시작한 것 같아.

한 달 만에 돌아오셨는데
여긴 들르지도 않고
또 떠나셨단 말인가.

그 일 이후로 점점 더
우릴 멀리하시는 것 같아.

…….

파천신군은 모든 일을 제쳐두고
자네 모친의 행방을 찾아다녔네만….

267

지금으로서는 마호산이라는 독을 치료할 수 있는 방법이 없습니다.

진행을 다소 늦출 순 있겠지만 결국 우측 다리는 사용하지 못하게 될 것입니다.

보통 사람이라면 이미 전신 마비가 왔거나 사망했더라도 이상하지 않을 치명적인 독입니다.

......

제가 드리는 탕약을 계속 달여 드시고 외출을 금하십시오.

탕약과 운기조식으로 독기를 잡아두지 못하면 우측 다리만으로 끝나지 않을 것입니다.

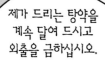

그럼 다시 찾아뵈도록 하지요.

……

다만…,

파천신군이 어떻게 제자들에게 부상을 당하고 계곡 아래로 버려졌는지에 대해서는 기록이 분명하지 않았네.

타 부서의 기록들과 당시의 여러 정황들을 종합해서 추론해보건데,

그들은 자네 모친으로 위장한 여인을 미끼로 삼아 파천신군을 꾀어냈던 것 같아.

독공에 의한 후유증으로 제대로 걷기가 힘들 정도로 다리가 불편한 데다 자네 모친으로 인해 평정심까지 흐트러진 상황이니 치밀하게 계획된 그들의 공격에 제대로 대응하기 힘들었을 테지.

조만간 파천신군이
내막을 알게 되고
그 분노가 자신들을
향할 것이라는 데 대한
공포가 그런 짓을
저지르게 만든
원인이었겠지만.

그 일은 결국 그들에게
또 다른 파멸을 불러왔을 뿐이었네.

문주님이
살해됐다는 소문에
곳곳에 반란의
조짐이….

놈들의 반응이야
예상했던 바.
이럴 때일수록
내부 단속을 더
강화해야 합니다.

사태가 이 지경인데
귀영은 또
어딜 간 건가?

그 뒤의 일들은 자네도
얼추 알고 있을 테지?

파천문의 붕괴와
죽음을 가장한 사천왕의 잠적….

그리고 무엇보다…,

이 양정학이
'선대 백마곡주님께 귀의한
파천문 출신 요원'이라는
위장 신분으로 무림에 등장한 것이
바로 그 무렵이지!

…..
…..
…….

뭐, 어쨌든….

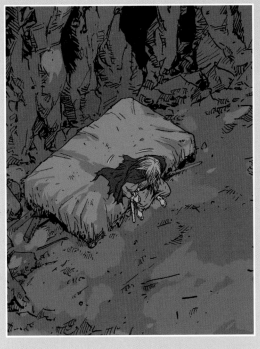

273

자네 모친이
처음 '보고서'에 기록된 것은,

보고서가 작성되기 시작한 지
그리 오래되지 않은 시점이었네.

역시….

살아 계셨군요….

많이 야위셨어요.

…….

부인이야말로….

살아 계실 줄 알았어요.

떠들기 좋아하는 사람들이 이런저런 말들을 많이 했지만 천하의 파천신군이 그렇게 허망하게 돌아가셨을 리 없다고 믿었어요.

부군의 죽음에…,

내가 직접 관여한 것은 아니나,

내가 관여했더라도 같은 결정을 내렸을 것이오.

그러니 나를 찾아 이곳까지 온 이유가 부군의 원수를 갚기 위함이라면 제대로 오신 게요.

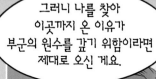

지금의 내가 줄 수 있는 건 이 쓸모없어진 목숨밖에 없긴 하오만….

무림에 적을 둔 남자들은 젊은 사람이나 나이 드신 분이나 한결같군요.

대의, 명예, 협…, 어떤 상황에서도 가장 중요한 건 그런 것들이겠죠.

정말이지…,

남편의 그런 점을 좋아하긴 했지만….

남편도 그렇고, 두 분 모두 각자의 입장에서 해야 할 일을 했을 뿐이라고 알고 있는데 제가 잘못 알고 있는 건가요?

개인적으로 서운하거나 원망의 감정이 없다고 하면 거짓말이겠지만 공적인 일에 사적관계를 개입시키지 않았다 해서 비난받아야만 할 일은 아니라고 생각해요.

그러니… 너무 그렇게 자책할 필요까진 없으세요.

279

제가 여기 찾아온 건
자신의 말을 전해달라는
남편의 부탁 때문이에요.

'서로 각자의 입장에
충실했기에 결과가 어떻게 되든
그에 따른 원망은 하지
않을 것'이라고….

그래도…
내 생각과는 다르지만
어쨌든 그건 남편이
남긴 마지막
유언이기도 하고,

또 이렇게
직접 뵙고 보니
전하길 잘했다는
생각이 드네요.

하지만 당시엔 그러기 싫었어요.
파천신군이라는 사람에게 조금이라도
인간적인 감정이 남아 있다면
그만큼 괴로워하길 바랐으니까.

그…런 말을….

나는 지금까지 내가 추구하는
가치만을 위해 살아왔고
아직 그 생각엔 변함이 없소.

과정에서 발생하는
다소의 희생은 대의를 위해
불가피한 것. 결과에 대한
비난은 얼마든지
받아들일 생각이오.

그렇기에 부군의 죽음에 대한
책망의 대상이 필요하다면 모를까,
만약 내 지난 삶을 부정하거나
후회하는 모습을 보기 위함이라면
잘못 찾아오신 것이오.

……,
지금까진
줄곧…,

281

그렇게 생각해왔소…. 그러나….

이제 와서 그 생각을 바꾸실 필요는 없어요. 그런 분이기에 남편이 그토록 좋아했을 테니까요.

아니오….

늙은 아집으로 인해 희생되기에는, 너무 고결한 생명들이었소.

조금 더 빨리 그것을 깨달았어야 했소….

이곳을 찾아온
또 다른 이유는,

곧 태어날 이 아이와 제가
파천문의 집요한 추적에서
벗어날 수 있는 유일한 곳이라고
생각했기 때문이에요.

모르고 계시겠지만
지금 바깥에선 큰 싸움이
벌어지고 있어요.

그리고 양쪽 모두
저를 찾고 있다고
들었어요.

파천문 쪽이 이긴다면
말할 필요도 없겠지만
다른 쪽이 승리한다 해서
반드시 좋은 의미로
저를 찾는다고
볼 순 없어요.

그들 모두로부터
가장 안전할 수 있는
장소…,

제가 맞게
찾아온 건가요?

이 늙은이가 부인을
지켜드리는 한,

천하의 모든 이들이
이곳으로 몰려온다 해도
감히 부인을 넘볼 수
없을 것이오….

처음부터 파천신군이
그곳에 계속 머물 생각이었는지
내력을 회복한 뒤 다시 세상으로
나올 생각이었는지에 대해서는
명확히 판단하기 어려워.

그리고…,

다만 자네 모친을 만난 이후로 그곳을
전혀 벗어나려 하지 않았던 점으로 보아
그가 다시 무림으로 돌아갔더라도
그 목적은 복수 같은 것이 아니라
자네 모친을 찾기 위함이 아니었을까…
그렇게 추정하고 있네.

자네의 모친은 자네가 태어난 지 그리 오래되지 않아 돌아가셨네.

용이까지 무인의 삶을 살아가는 건 원치 않아요.

하지만 아이가 그러길 원한다면 자신이 선택하는 삶을 살게 해주고 싶어요.

마아!

그렇게 해주실 수 있죠?

그렇게 하겠소.

불쌍한 우리 아기….

어미의 정도 다 주지 못했는데….

자네 모친으로부터 자네 부친의
전언을 듣고 난 뒤에도
줄곧 자네 부모님의 원수는
자신이라고 생각했던 것 같아.

파천신군은…,

마지막까지 자네를 곁에 둔 이유도
원수의 죽음을 지켜보게 하려는
그런 의도가 아니었을까…?

물론
어디까지나…,

관찰자의 입장에서 본
내 개인적인
의견일 뿐이네만.

……

내 이야기는
여기까지일세.

어떤가?
아직도 여전히 내 말에
믿음이 가지 않는 건가?

예!

핑……

윽..

이거야. 도대체
주변에 내가 어떤 인간으로
보여지고 있었길래….

크윽..

사실이었으면
좋겠어요.

하지만,

부모님과 사부님이
서로 미워하거나
원망하지 않았다는 건…,

사실일세!
믿어도 좋아!

이 양정학의
명예를 걸고
맹세할 수 있네.

그런 걸 인정해준다면
말이지만….

용이 오빠, 용이 오빠! 우리 큰 집으로 이사한대—!

아, 내가 먼저 말 할려고 했는데….

요즘 우리 아빠 돈 겁나게 많이 벌어!

이제 내 방도 생길 거니까, 형! 가끔씩 자러 와! 싸게 해줄게!

내가 더 싸게 해줄게, 형!

으으크, 저놈들….

흐흐.

나도…!

돈 받고 재워주는 거냐?

오랜만이에요, 형수님, 우복 형.

그래.

다녀왔습니다.

그려…. 배고플 텐데 뭐 좀 먹어야지?

예….

근데 예린이는요?

주방에 있어. 그렇게 쉬라고 해도 굳이 주방 일은 지가 한다고 고집을 부려서….

응?

뭐야. 어디 멀리 출장 갔다 들었는데 이 주변에서 빈둥거리고 있었소? 근무태만 아냐, 이거?

요즘 돈 잘 번다며?

물건 파는 것보다 불법 의료 행위로 돈 긁는다고 들었는데?

하고 싶어서 하나? 다 죽어가던 노인네들이 내가 만져주기만 하면 팔팔하게 살아나니 자원봉사하는 셈 치고 강 만져주는 거지.

고맙다고 주는 돈 거절할 이유도 없고….

암튼
자네도 감시 대상이니까
잘 알아서 행동하라고….

뭣이?
어떤 놈이
날 감시해!

내 말내로
든든하게 입고 가니
훨 낫지?

응, 별로
안 추웠어.

금방 만두 쪄 줄 테니까
잠깐만 앉아 있어.

응!

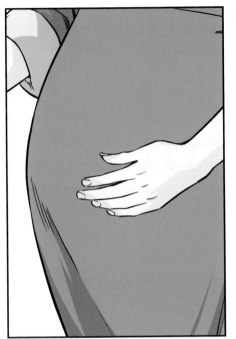

예린 누나, 우리 부하는 도대체 언제 나오는 거야?

네 녀석들이 무서워서 안 나온댄다.

여자애로 만들어줘, 언니.

안 돼! 여자애는 절벽 기어오르기가 힘들다고!

여자도 할 수 있어!

늬들, 대체 내 아기한테 뭘 시킬 생각이냐….

아….

그래서
곡주님 반응이….

내 정보망이 이걸
놓치고 있었다니….

흥!

한심한 것들 같으니…!

테엥..

닷새를 굶으시고도
저렇듯 정정하시다니.

아미타불…

스님,
저 왔어요!

오,
강 실쟁!

그럼
내일 이 시각에
또 올게요. ^^

그려,
조심해서 가.

앞으로 며칠 정도
더 갈 것 같으세요?

글쎄…?
한 이틀 정도면
끝날 것 같은데.

자, 여기
빈 그릇.

…이 아니라,
초향 누님…!

히익…!

쿠우우...

어,
장모님!

요즘 들어서
사냥 자주
다니시네요?

어허―,
그 주둥아리!

어따 대고 그따위
야만적인 행위에다
비교를…!

너 같은 풋내기하고
말 섞어봤자
화장만 구겨지지….

가게나
잘 봐!

예, 예,
ㅣ 다녀오세요.

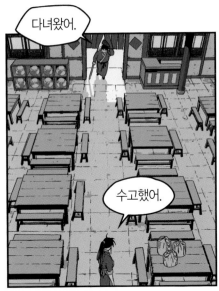

다녀왔어.

수고했어.

새로 주문 들어온
것들이야?

응.

갔다 올게!

……
여기가
맞는데…?

요화단 누님들,
만두 왔어요ㅡ!

좋았어!
뚠뚠이가 눈치
못 챘을 정도면
완벽해♬

뚠뚠이
왔니?

펄럭

스윽

어,
깜짝이야!

정확하게
도착했네!

부스스

스윽

너 일부러
흉물 떠는 거
아니지?

에이, 아녜요.
누님들 위장술이 갈수록
좋아지셔서 그래요.

하나는 네 몫으로 시켰어.
같이 먹을래?

와 정말요?
사랑해요,
누님ㅡ ♡

검귀가
돌아왔다고…?

예, 일단 예전에 숙소로 쓰던 곳이
수리가 끝난 상태라 그곳에
머물 수 있게 해주었습니다만…,

딱히 우리 백마곡의 일원이 될
생각도 없는 녀석에게
이렇게까지 배려해줄 필요가
있는지 의문입니다.

306

그냥 지낼 수 있게 해줘.

어디에도 소속되기 싫어하면서도,

유일하게 돌아온 곳이 여기잖아!

!

보고할 게 남았나요?

아, 예…. 손님이 찾아오셨습니다.

손님?

이거 축하드립니다!

......
아, 예….

만두 배달
왔습니다ㅡ!

!

거, 입구에서 그냥
수령하면 안 돼?
꼭 여기까지 직접 배달을
해줘야 직성이 풀리겠냐고!

그것도 매번…!

손님이 원하면
원하는 대로 해주는 거지,
말이 많네!

그러면
배달료라도
따로….

어, 이게 누구야?
도 실장⋯, 아니, 지금은
도 방주님이었지!
어쨌든 반가워ー!

아아,
오래만이군.

탁⋯.

장모님과 아내가
많이 보고 싶어 하던데,
가게에 한번 놀러 와!

그래, 알겠네.
조만간 꼭
가도록 하지.

그래,
그럼⋯.

소진홍이
곡내에 와 있어!

뭐?
진짜?

둘이 친했잖아.

가는 길에
한번 들러봐.

이 짜식, 돌아왔으면 형님한테 먼저 찾아올 것이지…!

……

저 남자보다 강해질 수 있겠어요?

전 강한 사람이 좋아요. 저 남자는 제가 알고 있는 사람들 중 가장 강한 사람이죠.

저 남자보다 강해질 수 있는 사람이라면 좋아하는 마음이 생길지도 모르겠네요.

그건…,
무리일 것
같습니다.

언젠가 저 친구보다 강해지고 싶고 노력은 지금도 하고 있습니다만…,

희망과 현실은 다른 법이니까요.

그리고… 무공 증진에 대한 노력을,

다른 사람의 마음을 얻기 위한 수단으로 이용하고 싶지 않습니다.

실망하셨다면 죄송하군요.

그럼…

어디라고 했죠?

제게 보여주고 싶다 했던 장원…

저는…
강한 사람을
좋아하지만,

자신의 한계를
인정하고 노력하는
사람도 좋아해요.

……

어, 그, 그러니까…,
그게 어디냐면…,
풍진방 뒷산에 있는
장원인데요,

사실 경치는 조잡해서
별로 볼 게 없지만….

아니, 잠깐!
아까랑 말이
다른 것 같은데?

경치
좋다며?

314

돌아온 걸 보니
방황은 끝난 모양이네.

앞으로 뭘 할 건지
계획은 있냐?

딱히 계획 없으면
우리 가게로 와.

일손이 딸려서
배달부 모집 중이니까.

하여튼 생각 있으면ㅡ.

얼마 줄 건데?

얼마 주긴 뭘 얼마 줘. 먹여주고 재워주고 가끔 이 형님이 인생 상담해주는 정도면 차고 넘치지.

초짜가 너무 돈 밝히면 뼈 녹는다.

웃차차!

그럼 면접 때 보자~!

···끙!

됐어.
오늘 일은 이걸로 끝!

엄마는
낼 아침이나 돼야
돌아오실 테니까.

이제 우리 명이
데리러 가야지.

응.

아빠, 나 내일 가면 안 돼?
언니 오빠들한테 밤새도록
훈련받고 싶어!

안 돼!
밤엔 자야지.
다음에 또 놀러
오면 되잖아.

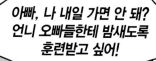

훈련?

참, 자네
들어본 적 있나?

뭘?

여기 황룡산 인근에
괴물이 하나 살고 있다는
소문 말이야.

괴, 괴물?

한번 힘을 쓰면
산을 무너뜨리고
바다를 갈라버릴 정도로
어마무시한 괴물이라고….

……

지금처럼 평화로운 시기에는
딱히 힘을 쓸 일이 없어서
땅속 깊은 곳에서
잠들어 있다던가…?

한데, 또 모르지.
잠만 자기 따분해서
밤마다 이 일대를
배회하고 다니는지….

지금 우리 머리 위를
날아가고 있을지
누가 알아?

그, 그만해!
무섭다.

『고수』완결

안녕하세요
독자님들

웹툰 고수의
작가

류기운

문정후
입니다

R

M

여러가지 우여곡절이 있었지만
5년 8개월간의 연재를 마치고
`고수'가 완결 됐습니다

중간중간 휴재 기간을 빼면
만4년 반쯤요 되겠네요

키잉...
이런날이
오다니...

R

M

사실 그냥 ~~도망~~ ...
조용히 물러가고 싶었는데
~~편집부의 불호령~~ ...
그동안 성원해 주신 독자님들께
예의가 아닌것 같아서
후기로 인사드리게 됐습니다

맞습니다

R

M

초반 제작 과정에 관한 이야기는 1부 후기에 해드렸으니까 이번엔 '고수'의 기획과 연재 과정의 일들에 대해 이야기해 드릴까 합니다

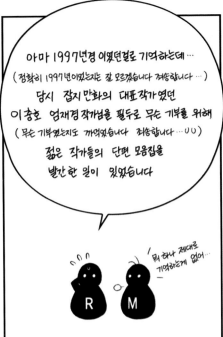

아마 1997년경 이었던걸로 기억하는데…
(정확히 1997년이었는지는 잘 모르겠습니다 죄송합니다…)
당시 잡지 만화의 대표작가였던 이충호 엄재경 작가님을 필두로 무슨 기부를 위해
(무슨 기부였는지도 까먹었습니다 죄송합니다…ㅇㅇ)
젊은 작가들의 단편 모음집을 발간 한 일이 있었습니다

뭐 하나 제대로 기억하는게 없어…

저희가 제작한 단편 내용은 외계의 침략에 대비해 만들어진 슈퍼 파워 사이보그가 예상과 달리 외계인의 침략도 없고 평화롭기만 한 세상에서 열심히 신문 배달을 하며 살아가게 된다는 흔한 설정의 개그만화였는데요…

신문이오…!

콰콰콰콰…

마하 3.0

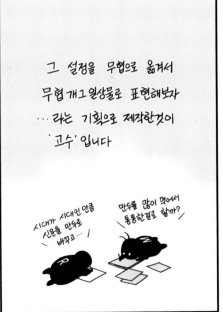

그 설정을 무협으로 옮겨서 무협 개그 일상물로 표현해보자 …라는 기획으로 제작한것이 '고수' 입니다

시대가 시대인 만큼 신문을 만두로 바꾸고…

만두를 많이 먹어서 통통한걸로 할까?

그 뒤 흑백원고에서 컬러원고로 바뀌고
연재가 되기까지의 과정은 1부 후기에서
말씀드렸으니 넘어가도록 하겠습니다

`고수`는 원래 짧으면 10회
길면 30회 정도로 예정된
단편 옴니버스 웹툰이었습니다

최대한 설정을
단순하게...

잘리면
바로 완결 시킬수 잇도록...

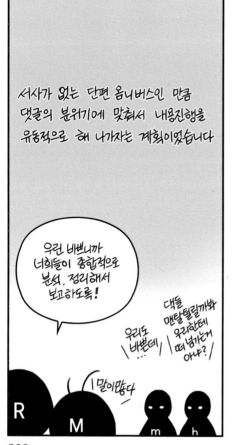

서사가 없는 단편 옴니버스인 만큼
댓글의 분위기에 맞춰서 내용진행을
유동적으로 해 나가자는 계획이었습니다

우린 바쁘니까
너희들이 종합적으로
분석, 정리해서
보고하도록!

댓들
맨날 털릴까봐
우리한테
떠넘기는거
아냐?

우리도
바쁜데
...

말이많다

제일 먼저 제목 간판이 교체되고...

타이틀 모양이
구리다는 댓글이 매주
올라오고 있어요

그럼
바꿔야지!

폰트를 바꾸고...

제발 폰트 좀
다른걸로
바꿔 달랍니다

포, 폰트?
글자체 말야?
그냥 읽기 쉬우면
되는거 아니었어?

바꿔
바꿔-!

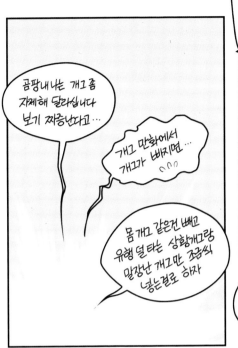

곰팡내나는 개그 좀 자제해 달라십니다 보기 짜증난다고…

개그 만화에서 개그가 빠지면…

몸 개그 같은건 빼고 유행 덜 탄은 상황개그랑 말장난 개그만 조금씩 넣는걸로 하자

미안하네만, 통발 설치 중이라 그쪽으로 갈 수가 없어. 자네가 이리 좀 갖다 주게.

강 실장은 맨날 성큼성큼 건너오던데, 자넨 안 되나?

물 위를 성큼성큼? 예수님인가?

이정도 말장난 개그는 괜찮겠지

개그의 비중이 줄어들고…

이 시대에 예수님이라니 가당키나 한 말인가?

꼭 그렇지만은 않아 시대 배경을 대충 명나라 정도라고 유추해볼때 서역쪽을 통해서 기독교가 알려졌을수도…

…!

안 괜찮은데…

아니 그냥 개그일뿐인데 왜 역사 다큐쪽으로 빠지는거냐고…

M R

초반에 잡아둔 설정도 꽤 바뀌게 됩니다

악령관련 내용 반응이 너무 안좋은데요?

빨리 봉합하고 다음 에피로 건너뛰자

예린이 역할 비중이 많이 줄어 들겠네… ㅠㅠ

마지막으로…

연재하는 동안
가장 많이 언급된 부분들에 대해
답을 해 드리고 마치겠습니다

먼저…
미완성작인 「괴X전」을
제작할 계획은 없는가?

예…
말씀드리기 어려운 사정이 있어서
그 부분은 넓은 이해를
부탁드리겠습니다

괴혐X과 비슷한 설정의
만화를 그릴수는 있지만
X혐전 자체를 다시 제작하긴
어려울것 같습니다
정말 죄송합니다

334

5년 8개월 동안 힘든 일상에
조금이나마 위로가 되었으면 좋겠다는
생각으로 열심히 달려왔지만
오히려 저희들이 더 많이 위로 받고
더 많이 행복했던 시간이었습니다.

분에 넘치는 관심과 사랑을 베풀어주신
독자님들께 감사드립니다.

연재할 수 있는 공간을 허락해준 네이버 웹툰과
모든 면에서 완벽한 도움을 제공해주신
네이버 웹툰 PD님들께 감사드립니다.

모든 분들이 건강하고 행복한 일상을
누리시기를 기원하겠습니다.
되도록 빨리 더 나은 작품으로
다시 찾아뵙겠습니다.

감사합니다~!

일산에서
류기운 문정후 문명주 한병훈

고수 16

2024년 2월 25일 초판 1쇄 발행

저자　　　문정후 류기운

발행인　　정동훈
편집인　　여영아
편집책임　최유성
편집　　　양정희 김지용 조은별
디자인　　디자인플러스
본문편집　한상희

발행처　　(주)학산문화사
등록　　　1995년 7월 1일
등록번호　제3-632호
주소　　　서울특별시 동작구 상도로 282 학산빌딩
편집부　　02-828-8988, 8836
마케팅　　02-828-8986

ISBN 979-11-411-1630-9 07650
ISBN 979-11-6927-882-9(세트)

값 15,000원